囚われの楽園

脱北医師が見た ありのまま 北朝鮮

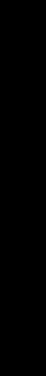

李泰炅（イ・テギョン）著
川崎孝雄 訳
荒木和博 解説

ハート出版

はじめに

大韓民国に定着して十数年になる。

社会学者ソラ・ポールは「人が一生重要だと思って交際する人の数は三千五百人であり「一生に出遭う人は平均一万七千五百人」という。これによれば、私は韓国生活十三年で二千五百人の人々に遭い、彼らは私の名前と故郷を尋ねたことになる。

故郷——出生地は日本、両親と先祖が暮らしていたところは韓国。

騙されて行き、命を懸けてやっとのことで抜け出したのは北朝鮮。

誕生して子供時代を送った国を母国と言うなら私の母国は日本だ。先祖が暮らし、親兄弟と子供時代を送ったところを故郷と言うなら私には故郷がない。あれこれ考えを巡らせてためらう私は「それでは心の故郷はどこか」と自問した。

心の故郷——北朝鮮の深刻な独裁の中で、一時も忘れられなかった場所は日本だった。

私は、日が経つにつれて厳しくなる金氏王朝の弾圧と監視、最も基本的な生命権の威嚇を感じながら三十数年間北朝鮮を脱出する機会を探っていた。

両親兄弟が熱望していた北朝鮮脱出と日本への帰還を口癖にしていた私に、日々衰弱する体をかろうじて支えながら母は言い聞かせた。

「テギョン、もし脱出可能な機会が来たら日本に行きなさい」

母の言葉には人生の重さと「北送」を主導した罪悪感と後悔の念が込められていた。

父母をはじめ私たち家族にとって最も幸せだった時期は日本で暮らしていたときであり、最も不幸だった時期は北朝鮮での「奴隷生活」だった。だから、「心の故郷」である日本を常に忘れずに、帰還の機会を探っていたのだと思う。

呼称——人には親が付けてくれた名前があり、生活していけば誰でもニックネームを持つ。私は日本で生まれ「日本名」と「朝鮮名」を持っている。それ以外に「半島人」「朝鮮人」「在日同胞」と呼ばれてきた。一九六〇年に北送されると、北朝鮮当局からは「帰国者」と呼ばれ、周囲からは猜疑と嫉妬の目で「パンチョッパリ（半日本人野郎）」「チェポ（在胞）」、あるいは「クィポ（帰胞）」と呼ばれることもあった。

日本人の血が一滴も混じっていない純粋な韓国人に対して、彼らの憎悪心から出た最悪の呼称が「パンチョッパリ」だった。

韓国に定着してからは「脱北者」「セトミン（新たに渡って来た民）」「北朝鮮離脱住民」「北送在日同胞」と呼ばれている。また、国連北朝鮮人権報告書では嘘と欺瞞によって北送されて故郷に帰れない抑留された「拉致被害者」と呼ばれている。正確には「誘拐抑留者」と呼ぶべきだろう。

私にとって北朝鮮は故郷でも母国でもない。一時の判断ミスで北朝鮮という密林に入れられて死ぬ苦労をして韓国に戻って来た「帰郷民」である。北朝鮮という生き地獄からの命を懸けた脱出者という意味では「脱獄囚」だ。近くて遠い三カ国を漂った「国際孤児」「浮き草」「東方のジプシー」だった。

初老期に入った今、日本と北朝鮮、韓国で体験した私の人生を振り返り、時期と環境によって変わった呼称を再確認することになった。慶州李氏家門の命名方式（世代によって名前に使う漢字＝トルリムチャの順番が決められている）に従って両親が付けてくれた名前があり、韓国に来て李泰炅（イテギョン）と改名した名前を含めれば私の呼称は二十一にもなる。この呼称に込められた迂余曲折の人生の体験を偽りなしに書きたいと思う。

私の人生を一言でいえば、日本という「地上の楽園」から北朝鮮「地上の地獄」に渡り、再び「地上の楽園」の韓国へ渡ってきた帰郷の人生だ。

自由と人権が保障された日本に住んでいたが、突然、独裁と弾圧、差別と監視で希望と未来を失い、金氏王朝の奴隷として暮らした過ぎし日々が恨めしい。

私は、父母兄弟が夢にも手にしたかった宝物、自由と人権を抱くことができた。しかし「地上の地獄」である北朝鮮で、人間らしい生活ができずに「恨」を抱いて亡くなった父母兄弟を思えば胸が詰まってしまう。

私は講演や雑誌投稿、インタビューで「北送在日同胞」たちの歴史的被害事実と紆余曲折した人生を何度も語った。

彼らは、私が幼い時の話をするたびに記憶力が良いと言った。しかし、記憶力が良いといっても英才でも天才でもない。北朝鮮で体験した苦痛と困難、独裁と人権弾圧が胸に刻まれるほど、幼いときに味わった自由と人間らしい暮らしが無性に懐かしく、父母兄弟も日本の話をしながら持ってきた写真を広げて幸せで楽しかった日々を回想していた。北朝鮮で暮らした四十六年間、人権が保障された自由を渇望していたので記憶が残ったのだろう。そしてその記憶によって北朝鮮を脱出して自由を勝ち取ることができたのだろう。

表現の自由が保障された韓国に来てやっと、一九六〇年代の日本と北朝鮮、世界が注目した「北送事業（帰国事業）」は巨大な監獄への移動であったとわかった。この生き地獄、恥辱の人生史と恥辱の歴史を直接体験した者として世に知らせたくなった。

「恨」を抱いて亡くなった両親と、手を合わせて脱出成功を祈ってくれた兄と姉の怨恨を解くのは私にかけられた使命だから。

九万三千三百四十余名の北送在日同胞には、それぞれが異なる理由で韓国から日本に移り住み、それぞれの動機で「北送」された人生史がある。私は、九万三千余の人生史の中に、私の家族が体験したことをそのままに書こうと思う。

四方が塞がれ八方から監視される北朝鮮で、「北送在日同胞」たちは正しいと思う一言も言えずに、胸に仕舞い込んで生きてきた。

現在、数百人の北送在日同胞が北朝鮮を脱出して韓国や日本で暮らしている。彼らは言論、出版の自由が許される社会でマイクを握りしめて放送や路上で思う存分訴え、積もった「恨」を晴らしている。北朝鮮で抑え付けられてこびりついた思いが、多くの手記として出版されている。

私と家族は政治犯収容所に監禁されることもなく、かといって信じてくれる労働党大幹部もいなかった。「北送在日同胞」たちが被らねばならなかった独裁と監視、人権蹂躪の被害を、最も平凡で一般的な家庭で受けてきた私の体験を記したい。

まだ北朝鮮に残っている親戚と知人たちの安全のため、一部、場所と名前を仮名としなければならないことをご理解下さい。理解しづらい部分もあるでしょうが、偽りない私の体験と認識によるものとしてご理解して下されば幸いです。

目次

第四章　人民共和国公民になるまで

第五章　差別と監視

第六章　適者生存

第七章　北朝鮮の独裁体験

第八章　脱北医師が見た北朝鮮の医療の実態

第九章　脱北決意

第十章　自由を探して彷徨う二カ月間

第十一章　ミャンマーでの日々

第一章　在日コリアン二世

山口県下関市東大和町一丁目

私が幼かった頃、関釜連絡船の埠頭は家から七、八十メートル前にあり、下関駅は反対側二、三百メートルにあった。現在、当時の下関旅客船ターミナルは埋め立てのために取り壊され、その場には多くのビルと商店が建ち並び、新たに数百メートル海側に移転している。私は下関駅と埠頭の間の大和町三差路の二階建て木造家屋で、一九五二年に三男二女の末息子として生まれた。

住んでいた木造二階建ての家の後は、線路が何本も敷かれた操車場で、前は関釜連絡船が入出港する埠頭であった。海風と埠頭に打ち付ける波の音と悲しい船の汽笛、「ゴトンゴトン、ガチャン」と繰り返される単調な音を子守歌として聞いて育った。

隣に住む純子や辰夫などと一緒に埠頭や操車場、野球場などを飛び回って遊び、楽しい幼年期を送った。快い秋の夜には、笛を吹きながら来るリヤカーの引き売りのトコロテンを食べ、海辺で爆竹遊びをして家族全員で楽しんだ。

父が下関に定着することになったのは、太平洋戦争が終わったので故郷の韓国へ帰るためだという。金儲けのために一九三九年に玄海灘を渡った父は九州の炭鉱で働いた。戦争が終わるとすぐに故郷へ帰るために荷物をまとめて下関に来たそうだ。

帰国準備をした父は、帰郷を知らせる手紙を慶州にいる家族に送った。父は、果樹園がある山裾の村に集まって住む情にあふれた故郷を懐かしんで書いたという。しかし韓国からきた返信は意外だった。

「韓国に帰って来た人々も再び日本へ渡って行くさなかに、なぜ帰ってこようとするのか」というものだった。

故郷の弟から「兄さん。故郷は特別ですか。良い暮らしができれば、そこがまさに故郷でしょう。日本が住みやすいなら、韓国に来ない方が良いと思います」という連絡がきた。

私は北朝鮮でこうした手紙と、「グッドバイ」とハングルで書かれた従妹の手紙を数十回も読んだ。父は古い家系図と手紙、写真を大事に近くに置き、故郷の山川の風景画を描くように話してくれた。父の父母兄弟と故郷への思いは歳月が流れて白髪になるほど深くなって頻繁に聞くようになり、私の胸に刻み付けられた。

この手紙をもらって周囲を見ると、韓国に帰った人々が本当に再び密航船に乗って日本へ戻って来ていたそうだ。ただ、親兄弟が懐かしいという一つの思いで周りが見えなかったのだろう。

その後、父は実弟である叔父がパルチザンと交戦中に戦死したという知らせを受けて、故郷の慶州に行ってきた。父母兄弟から、今は韓国の情勢が複雑だから、すぐには帰国せずに機会を見るのが良いと説得されて下関に戻った。そして私たち家族の帰国は無期限延期になった。

帰国計画を変更するしかなかった父は、朝鮮人というコンプレックスの中でも新たな出発を決心してリヤカーを一台用意して屑鉄の商売を始めた。当時中学生だった長兄と小学生だった姉が大きな手助けになったと、父はよく話していた。長兄は学校から帰ればカバンを置き、捨てられたパチンコ台から真鍮釘を抜く作業をし、姉は幼い妹を背負って子守を担当したそうだ。

難しい環境だったが懸命に働いたので五人の子供たちを充分に食べ育てることができたし、関釜連絡船埠頭の直ぐ前にある小さな建物も買うことができた。

三差路にある小さい木造二階の家を購入した父は、屑鉄の商売をやめて建物の一階で炭火焼き屋を始め、商売が当たった。この時から、順風に帆を張った船のように、日本の高度成長に足並みをそろえて安定した生活ができるようになったという。

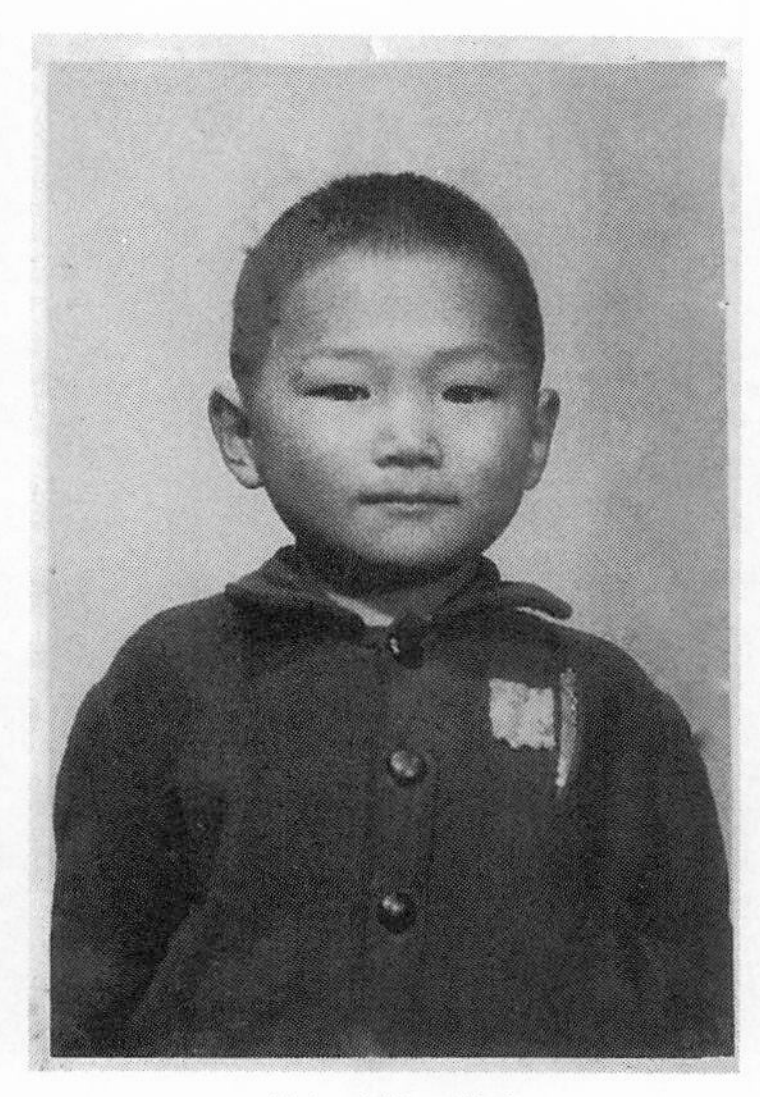

幼年時代の著者

下関の自宅裏にて次兄と

著者と妹

下関朝鮮初中級学校

朝鮮学校は日本各地に設立され、朝鮮語と共産主義思想を教えていた。一九五五年に朝鮮総聯が発足して朝鮮学校が急速に増え、一九六〇年代には約百六十校、学生数四万五千人を超える全盛期をむかえた。

私は、一九五九年四月一日に山口県下関朝鮮初中級学校（現・山口朝鮮初中級学校）に入学した。今でも、下関朝鮮初中級学校に共に通った友達の名前や思い出が芋づる式に出て来る。学校から家に帰るやいなや、大丸百貨店の地下食品売り場でイチゴジャムを買い、家で一緒に食べたチャ・インナム、日本語だけでなくハングルも良く読めて学級で模範生と呼ばれたリム・ヒョンシク、学級で一番背が低かったペク・チョンジなどの名前が浮かんでくる。

帰国後、北朝鮮でこれらの友達に会うことができた。チャ・インナムは南浦で柔道選手をしていたが、引退してガラス工場労働者になり、朝鮮学校で模範生だったリム・ヒョンシクは平原郡で農場員になっていた。江原道に住んでいるペク・チョンジは苦難の行軍時期に仕事もなくてトラクターのチューブを浮き輪にして海で魚を捕らえて生計を維持していた。苦難の行軍で飢えて死ぬより、チューブに命を懸けて海原に出て生き抜こうとしていた。キム・ジホンは同じ「北送船」で来て一緒に学校に通った。

私は不慣れな北朝鮮生活に落ち込んだとき、雨の降りやまない梅雨時、一人だけのときがあるたびに一九五九年四月一日下関朝鮮初中級学校入学の写真を見ながら回想にふけった。その後、下関朝鮮初中級学校に通っていた四人と会うことができた。彼らは農場員や漁師、工場労働者としてあまりにも異なった生活していた。

下関初中級朝鮮学校を人生の出発点とした四十四人の同窓生は、どこかで堂々と社会の一員として働いているのだろうか、それとも多くは引退して余生を送っているのだろうか。今でも毎年同窓会をしているなら死ぬ前に一度でも会いたい。

朝鮮学校に入学して最初に学ぶ言葉は、

「オモニはお母さん」

「アボジはお父さん」

「サグァは林檎」

「ペは梨」

チョゴリを着た二十歳前後の女性教師が熱心に朝鮮語を教えてくれた。

授業終了を知らせる鐘の音とともにカバンをまとめた私は窓の外を見た。ボディーガードのような次兄が私に手を振り、指笛を鳴らした。ちょっと見でも分かる自慢の兄だ。急いで革のランドセルを背負って教室から飛び出した。

「早く行こう」次兄が先に立った。

「兄さん、どこへ行くの。バス停は向こう側なのに」

「そうだな、お前は付いいて来い」

次兄は私の手を掴まえて走る。次兄が連れて行った先はパン屋だった。十円玉を出して手の平ほどの餡パンを一つ買って仲良く分けて食べた。四時限の授業を終えて食べた餡パンの美味しさは今でも覚えている。ほとんど全部食べたころ、次兄より背が高い日本の子供たちとすれ違った。彼らは、朝鮮学校から出てきた私たちをジロジロ見ながら指を差してからかった。見た目では朝鮮人も日本人も同じで見分けがつかないが、朝鮮学校から出て来れば朝鮮人だとすぐわかる。

「朝鮮人は可哀そう、戦争で全部メチャクチャになって乞食になって……」

子供たちが大声でからかった。

数で劣るだけでなく体格でも押される私たちにできるのは、自尊心を持って頭を上げて堂々と歩いていくことだけだった。からかう子供たちとある程度距離ができると、次兄は「走れ！」と声を張り上げてバス停まで走った。私は「ハア、ハア」息を切らせながら次兄の後を追った。

朝鮮学校にて兄の友人たちと

朝鮮学校の同級生たち。著者は２列目中央

母は毎朝バス代として次兄と私に二十円ずつくれた。東大和町一丁目から大坪（現、神田町）まで各自十円を払ってバスで行った。帰るときは十円でパンを買い食いしたので一人はバスに乗れなくなった。すると次兄は私のカバンを自分のカバンに詰め込み、残った十円でバスに乗り、私は知らないおばさんの子供のようにピタッと後ろに付いてバスに乗った。児童は親と一緒に乗ればタダだったので無賃乗車して帰ったのだ。

家に帰るとカバンを放って、台所で忙しく牛モツの下ごしらえをしていた父に尋ねた。

「お父さん、僕たち朝鮮人でしょう」

「ウン、そうだ」と、父はうわの空で答えた。

「朝鮮人は悪い人ですか。日本の子供たちはなぜ僕たちをからかうのですか。僕たちはなぜ朝鮮に帰らないで、ここにいるの？」

父は故郷を熱心に説明してくれた。裏山に果樹園があって日の当たる場所に小さな家があり、そこで祖父母、叔父、叔母が生活しているという。だから、これから私たちもそこへ行かなければならないと言った。

「陽当たりがいい家があるのになぜここで暮らすの？　父さん母さん兄弟が住んでいるのになぜ行かないの？」

私たちは朝鮮人であり、韓国は貧しいことだけは知っていた。父は韓国に帰りたいと思っていたが、故郷からは帰って来るなという。父は、こまめに儲けて韓国にいる両親兄弟に送金していたことも明らかだった。

朝鮮人を「チョウセンジン」という言葉自体は間違っていない。ではなぜ幼い私は「チョウセンジン」という言葉を嫌ったのだろうか。朝鮮人という単語よりも彼らの抑揚のついた言い方やいじめが嫌いだったのだ。

焼肉屋で成功した両親

解放後、日本に住んでいた約二百万人の三分の二が韓国に帰国した。しかし、帰国後の生計や理念的な葛藤、政治的不安定に対する恐れなどで帰国を先送りした人も数万人いた。それでも日本に残ることを決意した在日同胞の生活が楽だった訳でもない。

帰る国ができたのに帰らないでいる間に、在日同胞社会は北朝鮮を支持する「朝鮮総聯」と韓国を支持する「民団」に分かれた。韓国出身者が絶対多数でありながら社会主義を支持する「朝鮮総聯」の勢力が圧倒した。一九五五年、在日同胞社会は二つの団体に分かれることになった。

焼肉屋はいつもお客さんが多かった。飲食店を営むには立地条件が最適な場所だった。目と鼻の距離に下関埠頭があり、長くきつい航海で船員たちは店に一度来れば夜を明かして財布のホコリまではたいた。酒を飲めばほろ酔い機嫌になり、長居すれば酒が人を飲む。

こうなるといつも歌がツマミになり、ろれつが回らない大声になる。フランク永井の『夜霧の第二国道』、美空ひばりの『港町十三番地』などの歌が不満を噴出させる手段に変わる。私は今でもこれらの歌を覚えている。

父は善良な人だった。いつも相手に障る言葉には沈黙し、自身より相手を配慮して人情深かった。反対に母は積極的で主導的だった。

店の運営は母が行い、父はパートナーであり長兄と姉は母を助けた。両親は商売が上手くいってお金を貯めて小さな家を四軒も買った。

一度は父が、愛嬌あふれる女性を従業員に置けばより多くの客が来るだろうという理由で連れて来た。しかし、従業員が必要な状況ではなく、断れない人の頼みを受けて連れてきたのだろう。従業員一人くらいは雇える状態だったが、母は断固としていた。

「人手がすぐに必要でないのに、どうして連れて来たのですか」と父に言った。

話を聞いていた女性は静かに出て行った。店の決定権者が誰かを一目で看破したのだろう。

客のほとんどは船員だったが、故郷の味を懐かしむ韓国の知り合いたちもよく立ち寄った。

故郷に対する懐かしさが深く沁みていた父は、韓国人の客が来れば、もう一杯、もう一杯と勧めてすぐに打ち解けた。こうして父の友人になった人々の大部分は、朝鮮総聯に属した人々だった。

理念に対する父の態度は中立だった。たまに民団と朝鮮総連の人が店で角を立てることがあれば、「はい、それまで。皆同じ故郷だろう、角を立てるのは止めて酒でも飲もう」と仲裁した。父にとって重要なのは、長男の義務として金儲けをして韓国にいる両親と四人の弟に仕送りすることだった。それで熱心に働いてお金を儲けて故郷に仕送りし、残ったお金で家を買った。この時期を両親は四十代という人生の最盛期だったと言い、日本の経済成長に預かった幸せで楽しかった忘れられない時期だったといつも回想していた。友達と徹夜してホルモン焼き一キロと五〇〇CC焼酎五本を飲んでも平気だった。両親は一生この時期を忘れられずにいた。若さと健康、お金と自由、楽しさと幸福を全て手にした人生の「高潮期」であったのだろう。

「十対一」で懐柔された父

父は肉が好きだった。鍋を囲んで酒を飲みながら、それぞれの故郷の話などで熱く盛り上がった。

断然多かった話題は北朝鮮だった。「無償治療」「無料教育」「地上の楽園」という言葉は話す人はもちろん聞く人の心も揺らした。

一九五九年十二月十四日、最初の北送船が新潟港を離れた後、金本さんや多くの朝総聯系活動家が頻繁に我が家に出入りするようになった。自力で生きられるという父の考えを揺さぶるためであった。

人が嫌がる話をしないことをモットーとして特定の政治理念を持たなかった父からすれば「朝鮮総聯」も「民団」も同じだったのだろう。

友達の中に「帰国しろ」と言う人が十人なら、「行くな」と言うのは一人しかいないほど、朝鮮総聯の帰国事業に同調する人がはるかに多かった。

行けと言う友達は、

「社会主義こそ全ての人々が平等に暮らせる世の中だ」と言って北朝鮮を「地上の楽園」と持ち上げた。

一方、行くなと言う人は、

「戦争で灰になった国が、わずか数年間で地上の楽園になったとは全く話にならない。本当に行きたいなら、長男は日本に残して行け」と言った。

そして、洋服店をしていた松本さんは、

「長男に洋服を作る技術を教えてやる。北に行ってみて本当に良かったら、後で北に送ってやる。とにかく、もっとよく考えてから決めたらどうだ」と言った。

しかし、長男を日本に置いて行けという言葉に母は驚いて飛び上がった。離別にとりわけ敏感な母は、

「いつかは両親から離れる息子でも、わざわざ別れを急ぎたくない」と言った。

母は七歳で両親を失って祖父の手で育てられた。幼くして両親と別れ、その後故郷を離れて日本に渡り、朝鮮半島が解放されると日本にいた兄（伯父）が韓国に帰って兄妹別れすることになった。再び大黒柱のような長男と別れろというのは話にもならないことであった。

父は終戦とともに故郷へ帰ろうとしたが、まだその時ではないという韓国にいる家族の引き止めで下関に居を定めたという。

その後、朝鮮戦争が勃発して帰郷は一層不明になった。朝鮮戦争が終わっても韓国にはまだ春窮期（春に食糧が無くなり、山野の草根や木皮を食べて延命する時期）があったという。

そうしている間に在日朝鮮人の北送事業が始まった。北の経済状況は韓国より良く、韓国は李承晩大統領打倒デモで落ち着かなかった。そのため北の主導で統一されるという話も多く出回っていた。あれこれニュースを総合して考えた父は、まず北に行って暮らして一、二年内に統一されたら南の故郷へ行くことが一番早い帰郷の道だと結論した。

しかし、家庭の大事なので母と相談しなければならなかった。母がこの決定に大きな役割をすることになった背景には、父の思いやりがある温和な性格も大きく影響した。自身の意見より相手の意見を尊重する父は、家でも自身の意見に固執するより主に母の意見に従ったし、これまでの母の決定は賢明だった。屑鉄屋を始めた時も、飲食店を開業した時も父は母の意見に従った。こうした理由で帰国を決定した時も母の主張が強かったが、今回だけは予想を完全にはずした。

この誤った予想は母の心に一生癒えない大きな傷として残り、「帰国」という不幸は夫婦喧嘩の原因になった。

北朝鮮に行って早期統一を待って真っ先に故郷へ帰る、という父の「帰国」動機を考えれば本当にあきれたことだったが、これが北送船に乗ることになった理由だ。

北送事業二十五年の間で北送船に乗った約九万三千人を越える在日北送同胞にも、それぞれの理由があったのだろう。

「帰国実現デモ」とあんこ餅

草創期の下関朝鮮初中級学校は大坪（現・神田町）に向かい合った丘の上のアバラ屋だった。

しかし、私が入学して数カ月後にコンクリート校舎に変わった。

当時、在日同胞社会で朝鮮総聯は絶対的な位置を占めていた。北朝鮮は教育援助金の他に宣伝物も送ってくれた。朝鮮戦後の社会主義建設で発展する体制宣伝内容だった。

『朝鮮画報』は、社会主義農村の豊作を意味するチョゴリを着た美しい農村女性が、一粒一粒たわわに実った稲束を抱きかかえて微笑む写真をはじめ、美しい自然のカラー写真で埋め尽くされ、紙と印刷はとても上質だった。

学校では北朝鮮の映画をよく上映した。そのなかで記憶に残るのは芸術映画『沈清伝』とニュース映画『朝鮮時報』だ。『沈清伝』で印塘水（イムダンス）という海に蓮の花がそっと開いて沈清が出てくる場面は幻想的であり、朝鮮女性はみな沈清の美しさと心を持つ女性だと思った。『朝鮮時報』は戦後復興建設の躍動する朝鮮の姿と、遠からず社会主義共産主義国家の実現が保障された国だと宣伝していた。

映画が終われば必ず総聯の活動家が「十分もあれば一戸のアパートが建設される」と大嘘もついた。

もっと呆れたのは、こうした宣伝を大人も子供も信じてしまったことだ。同胞社会はパラダイス（北朝鮮天国説）に狂っていた。

帰国実現運動が最も活発に展開されたのは、在日朝鮮人帰還事業計画がまとまり、実際に北送船が出港をする前の一九五九年夏だったと思う。もちろんその後のことは分からないが、五九年夏の帰国実現運動には朝鮮学校の生徒たちも動員された。

私たちは授業が終われば、義務的に頭に鉢巻きをして「帰国実現」を叫んで街に出て行った。もちろん担任教師の指示で隊伍をそろえて行進した。先生も朝鮮総聯幹部の指示に従って学生たちをデモにかりだしたのだろう。もちろんその上には朝鮮総聯議長の韓徳銖がおり、またその上に金日成がいたことは明らかだ。

下関の夏は非常に蒸し暑い。焼けつくような日射しで、コンクリート道路は焼けた鉄板のようだった。このような日に、生まれて初めてデモに参加した。黒く日に焼けた顔から流れる汗を手の甲で拭いながら、喉が破れるほど「帰国実現」を叫んだ。その言葉が何を意味するのかも分からなかった。とにかく暑くて大変だったが、先生の指示なので仕方なかった。

ただ、朝鮮に行くなら当然デモをしなければならず、そうすれば「地上の楽園」に送ってくれるのだろうと思った。見物人とデモ隊の間で発生するかも知れない衝突を防ぐため、列をなした警察官が汗を流して両側を挟み、秩序を維持していた。しかし衝突のようなものは起きる兆しもなかったが、秩序維持にうるさかった。警察はまるで「どうぞ行きなさい」と帰国実現を支援しているかのようだった。

デモ行進が終わると学校で餅をくれた。赤、緑、白色のあんこ餅はあっという間に腹の中に納まってしまった。どんなにおいしかったか、あんこ餅は私の大好物になった。

北送後、私は数えきれないほど「自叙伝」を書かなければならなかった。大学入学推薦書を書いてもらうとき、軍で学校推薦をもらうときも「自叙伝」を書かねばならない。そのたびに「帰国実現デモ」に参加した「愛国活動家」と書いた。

北朝鮮で「デモ」は死を意味する。死も辞さずに日本で「デモ」に参加した、それも幼い齢で命を懸けて戦ったということで私は「愛国者」に化けることができた。彼らは自由民主主義国家で普通に行われている「デモ」が、人権の基本だということも知らないのだ。

第二章　最後の自由

北送準備

帰国を決めると父は忙しくなった。作成しなくてはならない書類もあったし、準備すべきことも多かった。すべての物を国が供給してくれて教育は無料、病気治療も無償だというが、それでも個人的に必要な物は準備しなければならなかった。

朝鮮総聯は、新しい家具や新しい服など「全て新品だけ」を持って行くように指示した。先に行った人々が古着や使っていた家具を持って行き、平壌のきれいな街を穢しているからだと言うのだ。そして新品を買って残ったお金は「全部朝鮮総聯に寄付しろ」と指示した。

私が生まれた東大和町の二階家と、小さい家四軒を急いで売り払った。家族ぐるみで親しく交際していた南さんには多くの財産を譲り、北に持っていく自転車、ミシン、ミンクのコートなどあらゆる物を買った。

余った九十万円は朝鮮総聯に寄付した。多額の寄付を受けた朝鮮総聯は父に感謝状を出した。A3用紙にプリントされた感謝状は、北朝鮮で私たち家族を「祖国に寄与した愛国者」にしてくれた。

北に渡ると決めると、すぐに私たち兄弟は親の拘束から完全に解放されて、自由あふれる生活になった。北送船に乗る前に、いつまた来ることができるかも分からない日本の生活を楽しみ、欲しかった物は買って北に行こうという両親の配慮であった。

日本での両親の躾はとても厳しかった。どこへ行っても暗くなる前に帰宅しなければならず、映画館に行くのもタバコも酒も禁じられていた。両親に嘘をつくのは絶対に許されなかった。また親の遊びに連れて行ってと甘えるのも許されなかった。両親の言いつけは絶対に破ってはならず、他の家に手伝いに行って食べ物を貰うのもダメだった。それだけでなく、喧嘩するな、「殴られた者は足を広げて眠り、殴った者は足を曲げて眠る(殴るより殴られる方が、気が楽だ)」から人を殴るな、「誰もいなくても誰かが見ている」から悪事はするな、などほとんどが「するな」の躾だった。それが「買いたい物は何でも買い、したいことがあれば何でもしなさい」と、急に変わったので私たちは戸惑ってしまった。

兄と姉は、流行だったオルゴールを買い、私はボクシングのグローブとミニ野球ゲーム盤を買った。妹は横にすると目を閉じ、立てると目を開くバービー人形を買った。これらは北朝鮮に行った後、日本を思い出す大切な貴重品になった。

男兄弟は長男に付いて回り、妹は姉が連れて回った。『月の国への旅行』をはじめとする何篇かの映画を見たし、お化け屋敷にも行った。ミカンジュース、パイナップル缶詰、ソフトクリームなどを買って食べ、十五日間の楽しい時間を過ごした。

考えてみれば、いざ北に行く事になると両親も何か不安だったようだ。北朝鮮は「乞食の国」「自由がない国」「市場には箒しかない」という噂を両親も当然耳にしており、いくら噂だといっても一抹の不安があったようだ。

夕方に家族全員が集まると、長兄と姉は北に関した否定的な話をした。そうかといえば、すでに財産も整理して歩き出したのだから予定通りに帰国しようと、いう母と、少し待って様子を見るのが良いのでは、という父の意見が対立した。しかしこのときも母の主張が優勢で、一世一代の重要な選択は「帰国」に確定した。

学級では、北朝鮮に行くからといって送別会を開いてくれた。机を「コ」の字型に配置し、その上には菓子、アメ、果物などの茶菓が準備され、先生から送別会開始を告げる話があった。

「李泰炅（イテギョン）同務は、偉大な金日成将軍様の恩恵とご配慮で社会主義祖国に帰国することになりました。祖国に帰って堂々とした担い手に育ち、金日成将軍様と党に忠実な愛国者になることを、ここに残る先生と私たちは期待します」

金日成将軍の歌で始まった送別会は先生の主導で進められ、最後に友達が学用品をプレゼントしてくれた。こうして下関朝鮮初中級学校は、私の心の伝説となった。

船の汽笛

一九六〇年六月中旬、米軍基地だったという新潟赤十字センターに三日間滞在した。両親は、国際赤十字社代表と日本赤十字社代表、日本側関係者との面談で最後の帰国意思確認を受けた。大部分の人が北朝鮮へ渡る申請をしただけに意思を変える人はほとんどいなかった。名ばかりの最終意思確認だった。

新潟赤十字センターは広い敷地に宿舎、事務室、診療所、売店、銀行出張所などを備えていた。一時期、米軍の物流倉庫として使われていたという大きな建物内部には整然と畳が敷いてあり、家族単位で宿泊した。テレビで放映される災難被害者宿所のようだった。

ある人々は体育館でバトミントンやバスケットボールをしたり、敷地内を散歩したりしていた。

私たちは新潟赤十字センターで、何かに捕まるようで捕まらず、見えるようで見えない、地獄への門前に立っていた。

新潟を離れる前に、北朝鮮から派遣された労働党幹部の祝賀演説があった。彼は、日本では見たこともない幅広ズボンにしわくちゃな白い綿の上着姿で異常なほどみすぼらしく見えた。しかし彼の口からは、

「偉大な金日成将軍様のご配慮で、ボロを着て飢えた皆さんは地上の楽園である社会主義祖国の懐に抱かれることになりました……」と、よどみなかった。

彼は、「朝鮮民主主義人民共和国代表」という理由だけで私たちの歓迎を受けた。振り返ってみれば、幹部たる者が、爺さんの服を借りて着ているような姿だけ見ても北朝鮮の実状を覗くことができたのだろうが、私たちは「地上の楽園」という幻想に惑わされて覗けなかった。

私たちは誰もが結婚式にでも参列するように、きちんとアイロンをかけた服を着て頭には油を塗って髪を整え、女性のなかには韓服をきちんと着た人もいた。男の子はサージの黒い学制服を、女の子はセーラー服を着ていた。

新潟埠頭では最後の瞬間に、「行かない」と言って引き返そうとする人や、「行くな」と言って強制的に埠頭の外に引き出される家族がいたと聞いたことがあるが、私たちは目にしなかった。

私たち家族を含む大部分の人々は北朝鮮の実体を知らなかったし、幸せな生活を願う素朴な夢を抱き、旅行鞄を手にして船のタラップを登った。

新潟から北朝鮮に向かうトボリスク号

タラップがはずされる前から、船に上がった人々は左デッキから下を見下ろして最後の挨拶を交わした。私は、人々の隙間をかき分けて手すりにぶらさがり、歓送の人波を見下ろした。五色のテープを投げて端と端を掴んで別れを惜しむ人々、花束を振りながら涙する人々、将来の再会を約束する人々、離れる人と送る人がそれぞれの形で思いを伝えていた。

「ブオーン、ブオーン、ブオーン」三度の長い汽笛と共に船が徐々に動き始めると、デッキと埠頭では離れる人々と見送る人々の泣き声、互いに名前を呼びあい「さようならー」「お元気で！」の声が一つになり、別れの熱気は絶頂に達した。

ますます遠ざかる新潟港を見ながら、いつまた来られるかも知れない寂しい港の姿を小さな頭に深々と刻み込んだ。

下関市東大和町の家と潮風、下関朝鮮初中級学校、毎日通った市場、大丸デパートも汽笛とともに記憶に刻み込んだ。

波乱万丈、歴史の曲折が浸み込んだソ連船トボリスク号は一九六〇年五月の午前、様々な在日同胞たちを乗せて新潟港を離れ、清津港に向けて出港した。

地獄行トボリスク号

遠く新潟港を離れ、案内員の指示を受けて家族単位で船室に入った。一・五メートルほどの通路をはさんで両側の部屋に二段ベッドが四つ、計八つ置かれていた。

私は下段のベッドに潜り込んだが、カビの臭いが鼻をついて寝そべっていられなかった。父は大股で、私は速足で階段を上り下りして狭い通路を通って食堂に行った。誰も教えてくれなくても臭いを追って行けば食堂に着く。

食堂は異臭が強かった。カビの臭いで吐き気がした。これまでご飯といえば白米だと思っていたが、このとき黒くて臭いご飯があることを知った。腐臭がする黒っぽいご飯に幾つかのおかずと汁、さらに印象に残ったのは香りなど全くないゴルフボール大の青りんごで、水気のない大根を噛むようだった。これがソ連船トボリスク号での最初の食事の印象だった。

すぐに食堂を出てベッドに横になった。すでに脇のベッドには次兄が先に戻って来て横になっていた。

「何があるか分からないのだから食べないとダメ。食事は絶対食べなさい」

母は、ご飯を食べず寝転んでいる私を叱った。母性愛と小言を区分しづらいが、小言だというにはあまりにも切ない。

次の日は船の上をあちこち歩き回った。果てしなく大海を眺めるならやはり船首だった。果てしなく青い海と青空が一つになり、その間に黒い船が乗っているようだった。

窪んだ眼と黒ずんだ肌が印象的なソ連船員が歌う『カチューシャ』を子供たちがまねて、笑ったり歌ったりして騒いでいた。

Расцветали яблони и груши.
Поплыли туманы над рекой.
Выходила на берег Катюша.
На высокий берег на крутой.

リンゴと梨の花が咲き
川面に霧が漂う
カチューシャは岸にやってきた
高く険しい川岸に

新潟と別れのぼやけた思いが消えて潮風の臭いに、私はデッキで笑って跳ねる彼らの姿に心が軽くなって揺れるベッドに横になり、十年、二十年後に「地上の楽園」で立派な人になる幻想の中で眠り込んだ。

第三章　話では「楽園」実際は「地獄」

「これウンチだ」

新潟港を離れて三日目だった。揺れるベッドでまどろんでいると上のデッキからざわめきがしてきた。私はベッドから起きて人々が集まっているデッキに上がった。あちこちから「祖国だ！」という激した声が聞こえた。波間の向こうに陸地が見えた。

私たちを乗せた船は清津港にゆっくりと接岸し始め、埠頭に集まっている人々の姿も次第に鮮明に見えるようになった。

私は準備してきた五色のテープを力いっぱい投げた。テープは歓迎の人波に届かず海に落ちた。振り返ると、いつ来たのか父と上の兄が緊張した表情で埠頭を注視していた。

清津港の様子は新潟港とは大違いだった。清津港は秩序整然と号令で動く無表情の人形劇の一場面だった。人々や建物はみすぼらしく、灰色だ。新潟港がカラー写真なら清津港は白黒写真だ。私たちを歓迎に出てきた人々の服装と表情を見た瞬間、思わずため息が出た。

歓迎の人々の肌は黒く乾き、顔に血色が全くなかった。このような人々が「地上の楽園」を代表して歓迎に来た市民なら「何か大きく間違っていた」と思った。「夢にも見た懐かしい在日同胞よ／辛い異国暮らしは幾年か……」という在日同胞歓迎歌を歌い、動員された人々の姿は疲れ果てた無表情な人の群れだった。これを見て「地上の楽園」に来たと喜んだ人は一人もいなかったろう。

貧困と蔑視から脱出して来た私たちを歓迎するため、グチャグチャの花束を懸命に頭の上で振る人々と、磨いた黒革靴を履いて洋服にネクタイを締めた父親と制服をきちんと着て立つ私たち。北朝鮮と日本、社会主義と資本主義、「地上楽園と腐って病んだ資本主義社会」という朝鮮労働党の宣伝がいかに虚しいかを見せた悲しい場面であった。

清津埠頭で一通りの沿道歓迎を受けた私たちは、チェコ製のカルシャというバスに乗せられて歓迎式が開かれる清津劇場に向かった。大きな清津劇場には舞台があり、交響楽団と合唱団が待っていた。舞台下には家族単位で座れるようにテーブルと椅子が置かれ、幾つかの茶菓が準備されていた。誰かが舞台に上がって祝辞を述べ、帰国船団長の答辞が済むと、交響楽団と合唱団が演奏を始めた。

当時、朝鮮語をほとんど知らなかった私は「歓迎してくれている」としか分からなかった。手のひらほどの皿に載せてあった菓子を七歳だった妹に取ってあげると「これウンチだ」と言って投げてしまった。私もそっと一つ取って食べてみた。「形はお菓子だ」ひとかじりして、すぐに吐き出した。石のように固かった。色はウンチ色、味は大根味、石のように硬い菓子をそれとなく床に置いた。いつもなら、大切な食物を捨てると厳しく叱る母と目が合ったが、何も言わなかった。母は直感していたようだ。

その日の母の目には、

「ごめんね。これからはもっと酷くなると思うと、どうしたら良いのか……」という後悔と絶望、子供に対する不憫感があったと分かったのは、このときを思い出して母が話してくれたからだ。

「おまえたち、これから苦労の始まりだ」

清津市内にある帰国者招待所（北送在日同胞臨時宿所）では、七人家族の私たちに八畳ほどの部屋を配分したが、そこでも不快な臭いがした。鼻を刺激する臭いは食堂でも、路上で私たちを見て可愛いがって頬を撫でてくれる優しい人々も同じだった。トボリスク号で初めて嗅いだその臭いから始まり、どこに行っても次第にきつくなる臭いは、私たちの前途が一層厳しいことを予感させた。

私は長兄に付いて回った。清津招待所には五日ほどいたと思う。部屋にじっとしていられない年頃なので、同じ年頃の子供同士で群れをなしてあちこちに行ってみた。六月なら下関は暖かいが、緯度がずっと高い清津は寒かった。戦争の跡がまだ残っていて、どこも建設現場だったので、見る物も遊び場もなかった。

ある日、招待所の前で長兄と同じ年頃の一人の若者が四、五人の着いたばかりの子供たちに囲まれ、何か熱心に話している姿を見た。彼は顔が日焼けして黒く、日本の学生服を着て日本語で話していた。彼も私たちに会ったのが嬉しかったのか白い歯を見せて笑っていた。

彼は十八歳で、大学に通っていると言った。背丈は大学生としては小さかったが、体格は非常にがっしりしていた。私たちは、まだ知らない地で先輩に会った喜びで、あれこれ尋ねた。彼は、周囲を見回すと、

「ここではダメだ。私に付いて来い」と言った。

歩くたびに埃がたつ未舗装道路を少し歩くと川が現れ、橋の下に降りて行った。川幅は広いが水はなかった。彼は乾いた川を指して輸城川（スソンチョン）だと言った。彼が先に砂利の上に座ると、私たちに早く座れと手をつかんで座らせた。

「私は大阪から来たが、君たちはどこから来たの？」

子供たちは先を争って「九州」「私は名古屋」などと答えた。

「そうか。ところでお前たち、これからが苦労の始まりだ」といい、この間に彼が体験した悲

しく悔しい話を聞かせてくれた。

「父は総聯大阪本部の幹部だった。男でこの歳ならば自立して苦労もほどほどすべきだ。祖国に行って勉強しろと言って送ったんだ」

と言って空を見上げた彼の目には悔しさが表れていた。

「何度も父に『私をここに送ったのだから連れ戻す義務もあるでしょう。私を早く連れ戻してください』と手紙を出したんだ。ところが返事はなくて……。ある日先生が来て『父親に手紙を出したのかと叱られた。ここの環境に早く適応して、父の代を繋いで社会主義祖国の担い手になるように。もう手紙は出さないように』と言われた。手紙を開封して読んだってことさ。それで直接、船に乗って帰ろうと思ってここに来たのさ」

彼の言葉には断固とした意志が表れていたが、夢は叶わなかっただろう。北朝鮮は他の国と違って自由に外国に行ける常識的な国ではないからだ。

「果たして行けるの？」兄は首をかしげながら聞いた。

「これ以上我慢できない。日本の鉛筆を使えばダメ、日本話を話してもダメ、日本に関した話はダメ……全てがダメだ。全部資本主義思想だからと……。全く呆れるよ……」

「食べ物はどうなの」

先に来た先輩に、好奇心あふれる子供たちは我も我もと途切れなく尋ねた。

「話にならないよ。学校の寮で出されるのはトウモロコシ飯（トウモロコシの粒を米粒大に砕いたもの。日本では飼料）に白菜のシレギ（乾燥させた葉っぱ）汁だ。日本では、犬豚でもまずくて食べない物を食べなければならないんだ。今まではそれなりに、持ってきた服を売ってパンを買って食べたが、もう、今着ているこの服が全財産だ。だから父の所に行って、なぜ私を送ったのか問い詰めなくちゃ」

私たちは何も言えず黙って聞いていた。今まではスイカの表面だけ見ていたが、現実を体験した先輩の話を聞き、近い将来私たちに差し迫ることをぼんやりと想像した。

私は、日本製ランドセルを背負い、日本製ノートと鉛筆、消しゴムを使ったが、彼のように「ダメ」とは言われなかった。かえって羨まれて誰かに盗まれることがあった。先輩の話は作り話だったのだろうか。それとも当時、大学ではそんなことがあったのだろうか。一部の人が、日本製品を使っている私たちを妬んで言ったのだろうか。とにかく「北送在日同胞」たちを北朝鮮が資本主義思想が濃厚だと評価したことだけは事実だ。日本の服を着るのも日本語を話すのも変に見られて、早く朝鮮語を覚えろと言われたのも事実だ。

在日同胞と原住民

清津招待所の玄関には大きな朝鮮地図が掛けてあった。みなが都会地に配置されるのを望んだ。もちろん私たちも田舎に行きたくなかった。

父が家族代表で配置の相談をして戻ってきた。相談室に入るのは父だが、父の後にはいつも母がいた。夫婦であり、重要な問題なので母と相談するのは当然だった。

父は、

「会寧（フェリョン）に行ってくれと言うから、どこか地図を見てくると言って出てきた」と言い、母と一緒に地図で会寧を探した。母が先に見つけ、

「あなた、ここ北の一番端でないですか。韓国では暖かい所に住んでいたし、日本でも南のほうで暮らしていたし、寒い地方には住めないです。すぐに断らないと。できれば平壌に住みたいと言ってください」

「ウン、そうだな。分かったよ」

父は地図を確認して再び相談室に入った。しばらくして出てきた父に母がまた尋ねた。

「どうなったの？」

「ウン、そのまま話したよ。そしたら平壌には配置できないが平壌に近いＤ郡ではどうかと言うので、また地図を身に来たんだ」

地図でＤ郡を探した母は「そうしましょう」と言った。こうして私たちは平壌に近いＤ郡へ

の配置を受けた。

北朝鮮には居住地選択の自由がない。両親の相談と口論の末に、平壌に近いD郡に配置を受けることができた。

私たちは清津から汽車に乗って平壌に行き、色あせた古いバスに乗り換えてD郡に向かった。車窓から見えるものはすべてが見慣れなかった。

バスは座っていられないほど跳ねた。道は拳大の石を適当にばら撒いた未舗装道路で、窪みと水溜まりが続いていた。

妹を膝の上に座らせた父は、右手で前座席の背もたれを握り、両脚を踏ん張って妹が落ちないように体を必死に支えていた。こうして三十分ほど走ってD郡に到着した。

日本で都市生活していたので初めて土埃が立つ道を踏んだ。

ここでも歓迎式が私たちを待っていた。旅の疲れで、私には有難くない歓迎式だった。D郡の歓迎団は清津と比べると純朴な田舎の人々だった。どこか無邪気でみすぼらしく見えたが、純粋さと飾り気のなさが感じられた。人々は、私たちがD郡に配分されて来た最初の帰国者だと歓迎してくれた。工場幹部とおぼしき人が出てきて、

「日本でさぞかしご苦労なさったことでしょう。歓迎します」

と平安道訛りで挨拶の言葉をかけながら父に握手を求めた。

「こんにちは」と答える父の強い慶尚道訛りと平安道訛りが混じりあう会話だった。

父の人気はすごかった。

髪油を塗ってきちんと整えた頭に洋服を着てネクタイまでつけた父は、風采が良いうえに腹まで若干出ており、痩せこけた田舎の工場幹部とは比較にならなかった。

九州の高等学校に通っていた長兄、次兄と私も日本製学生服、姉はセーラー服姿だった。

「みんな乞食のような服装なのに、このように格式ばる必要があるの?」

という姉に、母はこうした服装が相手に対する礼儀だといった。

見世物でも見るように競って私たちを見つめている人々は、みな油気が無くて潤いのない顔だった。彼らは私たちを見て何か話しかけてきたが、訛りを良く分からない私たちには何を言っているのか分からなかった。

しかし私たちに物珍しさを感じていることを、彼らの目の光と表情で読むことができた。北朝鮮の宣伝では、在日同胞は寒さと空腹で悲惨な生活をしてきたはずだが、私たちの服装と顔色は彼らが考えていた姿とあまりにも違っていたためだ。

歓迎式が終わった後、古い机と硬い椅子数脚が全部の小さな事務室で対面した両親と幹部との話し声には、ときおり笑い声も混じった。

遅れて到着した私たちが持参した荷物を見た彼らは驚いたようだ。腐って病気に罹った資本主義の貧乏生活から脱出して来たという私たちが持って来た荷物は、彼らが夢にも想像できない品々だったからだ。荷物はトラック一台半の量であり、家の前で荷造を解いて家に運び込んだ。

荷造箱から出てきた自転車とミシンは、彼らには大きな見世物になった。私たちは男用と女用自転車各一台、シンガーミシン二台、ミンクのコート、カメラ二台、電気炊飯器、扇風機二台、一般ラジオと弁当箱大のトランジスタラジオ、原木で作った衣装タンス、三面鏡、「セイコー」腕時計二十個、コタツ、コンロ、各種学用品と化粧品、鉛筆削り、数年は使えるほど多量の石鹸とタオル、色あざやかな布団、各種靴、洋服などを持って来た。彼らが生まれて初めて見る品々がぎっしり詰まっていた。

父は、会館での歓迎式で写真を撮った。このときカメラを初めて見た人々も多かったという。フラッシュの閃光を稲妻だと思ったという話も後で聞いた。

荷物は電気製品が多かったが、当時の北朝鮮の電気事情はそれほど悪くなく、使うことができた。

「臭い」との闘い

私たちに配定された新居には、八坪と六坪程度の二部屋と台所があった。室内には衣装タンスと食器棚、布団、枕、食器などが置かれていた。台所には石炭を燃やすかまどがあった。米びつがあり、食器棚の中には十個くらいの缶詰がきちんと並べて置かれていた。おそらく缶詰は平壌で買って来たのだろう。私たちは缶詰を久しぶりにおいしく食べた。

家に入るとまた臭いが肺と頭を掻き回した。どこへ行っても臭いが問題だった。私は「お父さん、臭いが我慢できません。吐きそうです」と言って嘔吐した。

父は「少しすれば慣れるから我慢しろ」と言った。我慢するほかなかった。

後で、ここでの生活に慣れるように派遣されてきているおばさんが臭いの原因を教えてくれた。新しい家だと、オンドル部屋の床紙に生豆をすりおろした汁を塗る必要があり、それも火をたいて乾かしながら何度も塗らなければならないので、臭いは簡単になくならないそうだ。

その日は悪路で揺られ過ぎたバス移動の疲労感と臭いのため、私は夕食もできないまま、生臭いドブに陥ってもがく夢を見ながら寝付いた。

この生臭さは、家の隅々まで満ち、臭いに慣れるまでの長い間大変な日を送らなければならなかった。

翌朝早く起きてやっと家の中をまともに見回すことができた。まずトイレに行かなければならなかった。母の後に付いてトイレに行くと、四角い穴だけの共同トイレだった。男用トイレは二人同時に大便ができる広さがあったが仕切りはなかった。しかしそれは問題でなかった。ここでも臭いが問題であった。アンモニア臭が内臓を振動させ、鼻を刺して堪えられなかった。毒ガスでも撒いたように目が辛く、おしっこをサッサとして急いで出た。全てのものが新しかったが、良いものは一つもなかった。

母は、派遣されたおばさんから石炭で火を焚く方法から教えてもらった。先ず、家の前に積んである粉無煙炭を二笊（ザル）分持ってきて台所の床に掘ってある窪みにぶちまける。そこに畑から赤い泥を一笊分掘って来て二対一の割合でよく混ぜ、適当な量の水を入れて小さいシャベルでよく混ぜる。粘ってべとつくので混ぜるのはとても大変だ。

粉無煙炭と泥がよく混ざると拳ほどの塊（豆炭）を作って乾燥させ、それを積み上げながら火を焚く。寝る時は赤々と燃える火を粉無煙炭で完全に覆い、内側に空気が通る穴を開けて火が消えないようにしなければならない。空気穴が小さければ火は消え、大きければすぐに燃え尽きてしまう。

次の朝一番に、下にある石炭灰をかき出して残り火に石炭の塊を積み上げて火を焚き、ご飯を作り、汁も作る。かき出した石炭灰は外にきれいに捨てなければならない。火の管理は生きる問題と直結しており、母が最初に慣れなければならい基本であった。

私が石炭の扱い方をよく知っているのは、下校後に粉石炭と土を混ぜる作業を手伝っていたからだ。

この国で生き残るには、母だけでなく家族全員が適応方法を習わなければならなかった。家には毎日、幹部が訪ねてきて父に多くのことを尋ねた。故郷、家族関係、経歴、希望職種など一つの洩れもれなく聞き出すためだった。

これといった技術がなかった父は、電動モーター修理作業班に配置され、そこで労働者として一生働いた。

粉無煙炭と土を混ぜて燃料を作っている

第四章　人民共和国公民になるまで

後進国生活に慣らされた私たち

日本で初中級学校二学年だった私は、北に来て人民学校一学年から通うことになった。隣の家に暮らす、日本から来た同級生のヨンボンと一緒に学校に通った。

北朝鮮で最初の夏は非常に苛酷な試練の時期だった。

土砂降りの雨は傘で何とかなったが、ネバネバとべとつく泥が問題であった。当時、D郡には舗装道路がなく、粘り気の多い泥は靴に着いてなかなか離れなかった。少し歩くと靴は泥で丸太のようになって足を踏み出すことさえ大変だった。

雨風がほとんど横から強く体に吹き付ける天気のときは、傘がひっくり返されて使い物にならない。

合羽や傘は目にすることさえできず、原住民は麻袋を半分に折って頭にかぶって歩いていた。いくら雨が降っても傘なしで濡れながら歩くのは当然だと思っているようだ。ぬかるんだ道は長靴を脱いで持って歩くほうが楽だった。皆がそうして歩いたので、合羽姿で長靴を履くと笑い者にされた。

どろんこ道には素足が適していた。滑らかに足につく泥の触感も良く、柔らかい泥が足の指の間からはみ出て、くすぐったい感じもよかった。しかし、犬の糞やガラス片を踏むことがあるので注意が必要だった。

雨に濡れた服は、急いで家に走って行って着替えればそれでよかったが、雨の中に長くいれば風邪をひきかねないので気を付けなければならなかった。

学級で背が低いほうだった私は最前列に座ることになった。先生は、勉強ができてこぎれいな行政幹部の息子のウォンセを私の横に座らせた。先生とウォンセの行き過ぎた関心が負担になるときもあったが、ウォンセのお陰で一つずつ習って学校に適応できた。

学級で最初に感じたのは授業態度が非常に散漫なことだった。日本では授業中は授業に集中しなければならず、友達と雑談したり、よそ見をしたりするだけでも先生から注意された。しかし、ここでは授業中でも勝手に雑談をするのは普通で、すべてがやりたい放題だった。初めは「これで良いのか」という気がした。

あっけにとられていた私も、日が経つにつれていつの間にか慣れてしまった。慣れないと暮らせない社会だから。

家が遠い子供たちは弁当を持ってきた。昼食時間はあったが、子供たちはそれまで待てず、二時限の授業が終わると弁当を食べてしまう。弁当は真鍮のお碗に飯を入れて包んでくる。それを机の引き出しに入れて置き、授業中にまるで泥棒猫のように周りを見て、黄色いスプーンで黄色いご飯を頬が張り裂けるほど口一杯に入れておいしそうに食べるのを見ると、思わずよだれが流れた。

お碗もスプーンもご飯も、それを食べる子供の歯も全部黄色だ。後で知ったことだが、その黄色い飯は、じっくり茹でたトウモロコシ飯だった。飯の上には、おかずとして朝鮮味噌が一塊載せられていた。トウモロコシ飯は彼らの主食であり、育ち盛りの子供たちが摂れる栄養素の全てであった。

ある日、授業中に突然、首の後がムズムズした。反射的に手で触ると、黒く小さい虫が捕えられた。粟粒くらいの大きさで、頭はどこにあるか分からなかったが、細い幾つかの脚がうごめいていた。生まれて初めて見る虫だったが、とても気持ち悪かった。

「ウォンセ！　これ何だ！」

「ア！　この野郎（シラミ）だ」と、私の手から取って机の上に置き、親指の爪でプチっと潰し、その赤い血がついた爪をズボンでこすった。私は数多くのシラミが首の後ろで蠢いているようで、気分がムシャクシャした。

シラミは、軍隊生活時も大学で合宿生活した時にも付き添い、ずっと煩わせた。北朝鮮のどこに行っても、集団生活の場では普通に見られる気にくわない虫だが、シラミに初めて接したその日がいまだに忘れられない。

中学時代の著者（右から二人目）

あるのどかな夏の日の午後だった。いつものように北送同胞の子供たちが十五人ほど集まって朝鮮語の勉強をしていた。日本語が上手な教務指導員の先生が来ると、田圃の除草作業に行こうと言った。私たちは田圃が何か、除草が何か分からなかったが、指示に従わなければならないことだけは分かった。

夏の暑い田畑道をしばらく歩いて到着した所は稲が茂った田圃だった。遠くから見ると全てが稲の緑一色の草原で、美しく不思議な気がした。ところが、近寄ってみると蒸し暑さで田圃からはヌルヌルした草とコケが腐った汚水溜のような臭いが鼻を突いた。近くで見るのと遠くから見るのでは、これほど違うとは知らなかった。教務指導員先生は模範を見せると言って、ズボンを膝までたくし上げ、大股で田圃に入った。そして三、四十センチほどに育った稲の間に手を入れて底を掻きながら、これが「除草」だと言い、一人ずつ入って来いと言った。

一番前にいたソル・グニが最初に入った。田圃に足を踏み入れた瞬間「アッ！」と大声を出して外に飛び出した。すぐにでも逃げたかったが、結局、すべての学生が一人ずつドブ（田圃）に入って除草作業は終わった。

その日の夜、家に帰って香りのいい日本製の牛乳石鹸で体を丹念に洗ったが、このぞっとする記憶は洗い落とせなかった。こうして、後進国で見られる汚いことに、じわじわと慣らされていった。

成分洗濯

D郡に住み始めて一カ月が過ぎた頃だったか、「宮本武蔵と佐々木小次郎」の本を膝に広げて絵を見ていたとき、担当安全員（警察官）という人が父を訪ねてきた。低い背丈にやや垂れ目で、軽い足どりはなぜか善良そうな空気を漂わせていた。彼は「成分調査」をすると言った。

「成分」とは、北朝鮮における身分制度のことで、全ての北朝鮮国民は「出身成分」「社会成分」「階層」という三つの身分を持つ。この「成分」はさらに五十一分類に細分化され、国家によって管理されている。

「出身成分」は両親およびその六親等の職業が調査され、本人が満十七歳になったとき（海外出身者は入国後）に決定される。これは住民台帳に記入され、基本的に誰もごまかすことはできない。世襲制で、一度与えられると変更されることはない。

これに対し、「社会成分」は本人の北朝鮮での生活における地位、職業などを表す。どのような職業に就くか、どのような活動をしたかによって決まるので、途中で変わることもある。

「階層」とは、北朝鮮国家及び主体思想に対する忠誠度によって大きく三つに分類される。一番忠誠度の高い「核心階層」は国民の三割前後、特権階級として国家から多くの恩恵を受ける。「動揺階層」は国民の五割前後、うわべだけの忠誠心と見做され、監視の対象であるだけでなく、昇進にも大きな制限が加えられる。特に国家及び主体思想に反抗する可能性が高いとされる「敵対階層」は国民の二割程度、特別監視の対象となるだけでなく、国家から差別的扱いを受ける。なお「帰国者」は当初「動揺階層」に区分されたが、問題が多発してそのうちの約八十パーセントが「敵対階層」に落とされた。

担当安全員は、この「成分」の調査のため、家族と親戚、故郷に関して詳細に尋ね、解放前と後の職業と団体加入の有無、朝鮮総聯活動歴などに関して聴き取った。

それからも数回訪ねて来ると、まもなく担当安全員と両親は親しくなり、家では彼を安全員という代わりに「チュファの父さん」と呼んだ。彼の娘がチュファという名前だからだ（韓半島では直接親の名前を呼ばず、子供の名前で呼ぶ）。同様に、父は彼から「テヒ（姉の名前）の父さん」と呼ばれていた。

彼は、何も知らない私たちを心から助けようとしてくれた。

「朝鮮で生きていくには、まず気を付けるべきは言葉だ。学習にもちゃんと参加しなさい。ここでは成分が良くなければ何もできない。テヒの父さんは成分が良いから別に問題無いです。私が助けてあげますよ」

北朝鮮というジャングルでも良心的な安全員に会うことができた。

「本当に有難うございます。今まで私たちをこれほど心から思ってくれた方は一人もいません。有難うございます」

父は何度も頭を下げた。真心は真心に通じるようだ。

戦死したという叔父は、解放後慶州警察署に勤務していた。朝鮮戦争前までは、智異山を中心とする慶尚道と全羅道地域で南労党パルチザンが活発に活動していた。

一九四九年十月三十日、右翼要人暗殺と食糧略奪の任務を帯びて山から降りて来た六人のパルチザンと警察官の間で戦闘が起こり、叔父はパルチザン二人を射殺するも戦死したのだ。現在、叔父は大田顕忠院（国立墓地）に埋葬されている。これがばれれば北朝鮮で成分が最も悪い反動家族になる。だから、叔父に関する話は誰にも言えず、話してはならない私たち家族だけの秘密だった。

これが、父の機知で反転した。知る人もおらず確認方法も無いので、パルチザンの秘密工作員として警察に潜入中に身分がばれて韓国軍に射殺されたことにしたのだ。

今のような情報化時代には思いもよらないことだが、休戦ラインを境に南と北が鋭く対峙していた一九六〇年代初めには十分可能なことだった。

結果的に私たちは「南朝鮮警察官の家族」から「被殺者家族」の成分になり、党と共和国からある程度の信任を得ることになった。「被殺者家族」成分ならば帰国者たちの中でも良い成分に属する。

これには担当安全員だったチュファの父の助言が決定的役割をしたのだ。北へ渡った当初、何も知らなかった父母が、チュファの父の「ヒント」から思いついた「成分洗濯」だった。

こうした事を体験してチュファの父と私たちは一層近づき、後に国家保衛部が発足して保衛員になっても、私たち家族を監視する情報部員が誰かを教えてくれるなど、多くの面で私たちに助けとなった。

私たちは北朝鮮で己が生きるがために友達を裏切る例を数えきれないほど見た。友達が友達を、妻が夫を、労働者が幹部を保衛部に告発する行為は、己が危急に際したときに現れる「生き残り術」であり、北朝鮮社会では最も日常的な非人間的な風潮が蔓延していた。しかし、法と権力を持つ人々の中に、チュファの父のような良心的で人間味ある人も非常に希ながらいた。

北朝鮮で私たち家族が最も注意したのは政治思想問題だ。幼い年齢で思想が何で問題になるかと思う人もいるだろうが、北朝鮮では生まれた瞬間から洗脳が始まり、全ての洗脳は金日成一家の神聖化に焦点を合わせているので、子供でも金日成思想と忠誠心を持たなければならない。

ある日、私はいたずらで教科書の金日成肖像画の裏面に絵を描いた。するとウォンセが先生に告げた。私は教務室に呼ばれて絞られた。そして、金日成の肖像画に落書きをするのは最悪の事であり、ウォンセが私を助けるのは監視するためだと分かった。

こうして私は、共和国ですべき事とすべきでない事、信じるべき事と信じてはいけないことを区別する方法を知り始めた。

「朝鮮で暮らすなら、父母が言う通りに行い、日本が住みやすいとか朝鮮は住みにくいとかいう話は絶対にしてはいけない。バカ者扱いされても良い。思ったまま口にすればとんでもなく大きな被害に遭う」と、両親からも耳にタコが出来るほど聞かされた。

両親にこれを教えてくれたのもチュファの父だったと思う。こうして幼い頃から自身の考えと表現を抑制しながら暮らし方を学んだ。

地方と平壌との配給の違い

頭が少しはげた人と、背が低く痩せ細って何となくみすぼらしい人が家に来ていた。

私は好奇心から聞き耳を立てた。

「お米が無いのでどこか買う所がありませんか」と、食の責任を担う母は、食糧を心配して聞いた。

「上級党と相談して平壌から配給をもらえるようにしましょう」

「平壌の配給は違いますか」

「はい。金日成首相様がおられる平壌は配給が違います。米七十パーセントに小麦粉三十パーセントの配給です」

「そうして下されば本当に有難うございます」

母は正座して感謝の言葉を何度も何度も口にした。

彼らは日本茶を「おこげ湯（スンニュン）」と思ったようで、一気に飲み干して立ち上がった。

「いつでも、問題があれば訪ねて来なさい。それでは、また来ます」

「党委員長同志、有難うございます」と、母は腰を九十度曲げてもう一度挨拶し、父は外まで出て見送った。

数日後、げっそり痩せて背がすらりとした工場支配人が、背の低い後方部支配人と共に家を訪ねて来た。今回も、彼らは全く同じ話を繰り返した。

日本で民族的蔑視と飢えにどれほど苦労したのか。安定した職業もなしに子供五人も育てるのは、どれほど大変だったのか。しかし、これからは党が責任を負って子供たちを進学、就職させ、月給と配給も与えるから心配するな。そして困り事があればいつでも訪ねてこい、というような話であった。

彼らの前で「分かりました」と「有難うございます」を連発する両親は、先生の前に立つ学生のようだった。

九州の炭鉱で働いていた父は、実際のところ炭鉱で麦ご飯を食べたいだけ食べられたという。

八月十五日の日本敗戦後、生活は困難したが、飢えることはなかったそうだ。実際に飢えているのは北朝鮮だが、日本でボロを着て飢えて苦労したのだろうという問いかけに、両親は頭だけでうなずいた。北朝鮮で生き残ろうとするなら従順しかないことを十分に知っていたからだろう。

それよりも本当におかしなことは、六十年代でも平壌市内と地方の配給が量と質で違っていたことだ。だから私たちが平壌から配給をもらえることになったのは大きな幸運であり、配慮を受けたということだ。

配達されなかった手紙

一九五五年、日本で末っ子のテリョンが生まれると、姉が私の面倒を見てくれた。だから姉は母のような存在だった。それだけでなく、長兄と姉は父母の仕事を助けた同志でもあった。

リヤカーで始めた日本での父の仕事は順調に進み、食堂を開業するまでになった。

長兄と姉は学校から帰ると喜んで両親の仕事を手伝う責任感ある子供だった。こうした二人の献身的な努力と急成長する日本経済のお陰もあって、我が家は私が生まれた東大和町の二階家以外にも小さい家を四軒も買って家賃収入を得ていた。

「有るからこぼれる」という諺のように経済的余裕ができると、家がない友達に無料で家を貸す「慈善」まで施せるようになった。こうした父の善良な行為で、親戚より深い縁を結ぶ人々ができた。帰国後には彼らから少なくない生活必需品と金銭的援助を受けることができた。

日本での生活が苦しかったといっても、北朝鮮での生活はそれ以上に酷い。特に、思春期を迎えた姉の不満はとりわけ深かった。世界観が形成される十八歳の時期に全てが混沌とした状況で、大きな葛藤を抱えていたのだろう。

姉が中学を卒業して、設計室トレーシング工員として働いていた一九六六年の夏だったと思うが、夜遅く帰って来た父が家に入ってくるやいなや大声で姉を呼んだ。

「テヒ、テヒいるか。早くここに来なさい」

「何、何なの。何か大事でもあったのですか?」

ただ事でないと感じた母は姉に付いて来て父に尋ねた。

「お前、ここに座りなさい。日本にいる和男さんに手紙を出したのか?」

「何の手紙ですか……」

姉は瞬きしながら記憶をたどった。

「あーあ、数カ月前に出しました。でも何の返事もないです。それがどうして……」

「テヒ、父さんと母さんがどれだけ言い聞かせたか。ここで暮らすなら絶対、言葉に注意しろと言わなかったか。チュファの父さんの話を聞かなかったのか。聞いただろう」

隣の家を気にして小声だったが表情は厳しかった。(天井は紙を張り付けて作ってあったので大声は全部聞こえた)

「いったい何があったの？」

母が割り込んだ。

「今、党委員長に会ったばかりだ。最近、テヒの生活はどうなのか、不満があるのかと聞かれた。娘が日本に送る手紙を分別なく誤って書いたようだから、きちんと教育しろ言われた。それで、子供の教育を間違いましたと謝ってきたんだ」

姉は、日本に送った手紙が検閲に掛かって、叱られているとやっと分かったようだ。

「はい、出しました。日本では他人の手紙を勝手に開けて読むのは違法だから、ここもそうだろうと思って……」

「そうなの。ところでお前は和男さんに何と書いたの？」

母は膝を近づけて尋ねた。

「帰国しないで、服を少し送って、食べ物もないと書きましたが具体的には書きませんでした……」

アリの声よりも小さな声だった。

「本当だね。しかしテヒや、ここはお前が言う通り自由は目糞ほどもない。二度とそんな手紙は書かず、率直な話もするな。お前に何かあれば家族全員が大変なことになる。分かったか」

「はい、分かりました。思っている話は絶対にしません」

この件で手紙は百パーセント検閲されており、嘘をつかなければ生きられない社会だと改めて実感した。

日本では常に「いつ、どこでも誰かに見られていると思って正しく行動しないといけない」と言っていた母の口癖が、朝鮮に来てからは「いつ、どこでも誰かが監視していると肝に銘じて言葉を慎み、考えと反対に行動しなさい」に変わり、新たな家訓になった。

日本の生活がぬるま湯だとすれば、北朝鮮の生活は全身が真っ青になる非常に冷たい水風呂だ。私たちは数えきれない水風呂経験で、ここで生き残れるように体と心が鍛錬された。

不満をこらえることが共産主義

家の近くに、神戸から一九六四年に帰国した朴ヨンチョルが住んでいた。北朝鮮に来ていくらも経たない彼は、日本でしていたように思うがまま、感じたままに不平不満を口にしていた。彼にしてみれば、いつものことだった。

彼は、父を先輩だといって毎日のように酒を飲みに来た。私は、二人の話を聞いていた。

「李さん、ここでどうやって生きろというんだ。いっそのこと死にたいと思うよ。ここが何で地上の楽園なんだ。エイッ!」

彼は父を「李さん」と呼び、父は彼を「朴さん」と呼んだ。父より一歳下の彼は、子供ができずに、日本で孤児院から男の子を引き取って養子にして育てていた。子供が成長して養子と知って悩まないように「北送」を選んだという。

「朴さん、ここではそんな話をしたらダメだ、捕まるぞ。どこであろうが日本より悪いと話してはならん。ここでは見たままに話してもダメ。悪くても良いと言うんだ」

父は静かに言い聞かせた。

しかし酒が一杯二杯と入ると、彼は自制力を失い始めた。

「いや、どうして思った通りに話せないんだ。これが民主主義国なの。李さん、どうして我慢してるの？」

「おいおい、朴さん、ここでは党幹部によく見られないと目を付けられ、ちょっとした事で咎められ、いつ引っ張られて行くか分からない所だ。とにかく上手に振る舞わないとダメだ」と言い、分かったかどうか知らない彼の話を聞いていた。

こうしたことがあった後、父は彼を自制不能者として距離を置いて遠ざけた。しかし、距離を置いて近づけなかった結果、彼の口から問題が生じた。

ある日、チュファの父が訪ねて来た。

「テヒの父さんや、朴ヨンチョルと何かありましたか？」

瞬間、父は目をパチクリさせて首をかしげた。

「何かあったのですか。別にありませんでしたが……」

話をはぐらかす父の答えと揺れ動く視線は、どこか不安げだった。

「テヒの父さん、朴ヨンチョルは、幹部によく見せないといけない。そうでないと引っ張られて行く。ここでは、悪いことも良いと言わなければならないなど、反動のような話をしたというが、実際どうだったんだ？」

チュファの父は静かに、しかし、これだけははっきりさせようと威圧的な語調だった。

「ああ、朴さんが酔っ払って大声でグチャグチャ話しだしたので、いい加減にしろ、慎めという意味で話したんです。私は、朝鮮に先に来たので少しでも助けになればと思って……」

父はそう話をごまかしてしばらく考えこんだ。

「他の話はしなかったか思い出してみなさい」

「いくら考えても他の話はしませんでした」

「あー、そうですか。私もテヒの父さんはそんなはずがないと思ったが……。とにかく違ったようだ。朴ヨンチョルがさっき党委員会を訪ねて来て、私にも話した。その程度ならば大丈夫だ。酒を飲んで思ったままに祖国をけなしたから、先に帰国した者として、教育目的で話した事にしましょう。そう報告しましょう」と言って安心させた。

出る前に部屋を見回して、額のシワを伸ばしたチュファの父に、父は感謝の言葉を何度も繰り返した。

翌日、父は党委員会に呼ばれたが、無事に家に帰ってくることができた。朴ヨンチョルへの不信感とチュファの父の有り難みが交差する、微妙な瞬間だったそうだ。チュファの父は担当安全員だったが、私たちにとっては救世主であった。

しかし、朴ヨンチョルへの不信感は簡単に消えなかった。父は、ここで暮らすには友達はいらない、同じ北送在日同胞から「反動」と告発されたのは彼が常識もない「人間の屑」だからと憤慨した。

小さい村だから朴ヨンチョルと父の件は一瞬のうちに村中に広がった。「テヒの父は反動のような話を振りまく」という噂は口伝で膨らみ、ついに「テヒの父は反動だ」と拡散された。もちろん父もこの噂を聞いただろう。しかし父ができる事は何も無かった。

ところが、不思議な事が起きた。工場で機会があるたびに父を檀に立たせて「千里馬運動」の先駆者と称賛したのだ。年間事業総和でも、工場決起大会でも見習うべき模範的な労働者として父を挙げた。こうして父は反動でないことを党が確認してくれることになった。

朴ヨンチョルもまた、父の話が正しく、朝鮮で生き延びるには思いのまま話してはならないことを一歩遅れて悟ったのだろう。

ある日、父と母は長時間話をしていた。

「党委員会と安全員も、朝鮮が日本に比べて生活しづらいことをよく知っているのだろう。だから帰国者が不満を持つこともよく知っており、帰国者は資本主義で暮らしてきたから共産主義思想教育が容易ではないのも知っているだろう。この社会に文句を言わず、我慢することだけでも教育になっていると評価すべきだと、チュファの父さんが話していた……」

つまり、帰国者たちが悲惨な現実に耐えて不平不満を言わないだけでも共産主義者になる過程にあるということだ。

北朝鮮及び中国東北部の地図

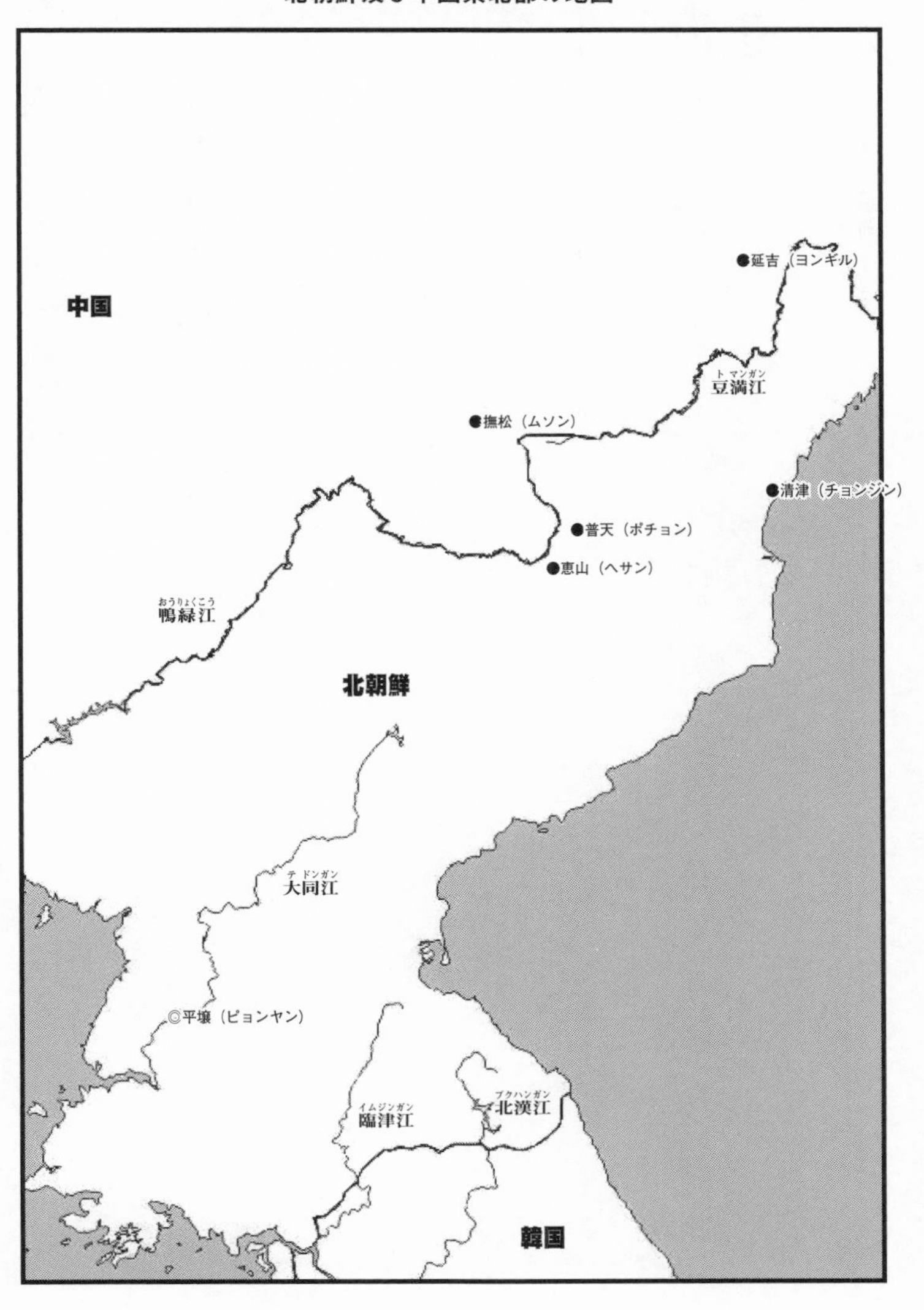

第五章　差別と監視

死んでも出られない政治犯収容所

真夏のデコボコした未舗装道路を走ると、自転車のタイヤから煙のように白い土埃が舞い上がった。

「やー、チェポ（在日同胞）だ。ついて行こう」

上衣を脱いで肋骨が浮かんだ子供たちが鼻水をすすりながら裸足でついてくる。おそらく彼らは、ピカピカの自転車に好奇心を刺激されたようだ。私はさらに力をこめてペダルを踏んだ。

しばらくして父が働く工場に着き、中年の労働者に父を呼んでくれるようにお願いした。

「父さんを探しているのか。こっちだ」

初めての人なのに、自転車を引っ張って嬉しそうに案内してくれた。彼も好奇心から自転車から目を離さなかった。

前章で記述の通り、北朝鮮には身分制度と言える「成分」があり、大きく三つの階層に分かれる。日本からの「帰国者」のほとんどが「敵対階層」に、ごく少数が「動揺階層」の最下層に組み込まれ、徹底的に差別、虐待されてきた。帰国者は資本主義社会で暮らした経験があるため、原住民とは水と油のように絶対に混じり合わない階層として扱われた。

保衛部は情報部員を配して、帰国者の一挙手一投足を常に監視して上部に報告した。そして、党と金日成の教示に背いたと見做されると収容所に送られ、連座制で家族全員が「敵対階層」に落とされた。

帰国者の絶対多数、いや全員が自由を渇望していた。そして、自由な考えを口にした者は「マル（言葉）反動」の罪名で政治犯収容所に引っ張られた。

在日一世は、韓国生まれで日本に定着した世代であり、蔑視と差別を受けて暮らしてきた。しかし、在日二世は日本で生まれ育った世代であり、多くが日本と韓国の文化的葛藤を経験した。家では韓国式思考で生活し、外では日本式思考で行動しなければならなかった。在日二世は、日本の急速な経済成長を経験しながら育った。北送事業が決定されて実行に移されると、在日同胞社会は去る者と残る者に二分されることになった。

在日同胞一世と二世が北送されたとき、彼らを指して帰国者一世といい、帰国後に北朝鮮で生まれた子供を帰国者二世という。

在日朝鮮人北送事業は、簡単に説明できない複雑な問題だ。とにかく北朝鮮は自分たちより良い生活をしている在日同胞を北に移住させることで先進技術と資本はもちろん、人材まで手に入れた。

労働党の行動隊である朝鮮総聯は、在日朝鮮人が日本社会で差別を受けて貧しかった事実を利用して「無償治療」「無料教育」「地上の楽園」という嘘で北朝鮮に送ろうと活動した。結果的に、一九五九年十二月十四日から一九八四年までに約九万三千三四〇人が北に渡った。この中には日本人妻・夫とその子供たち六千八三九人も含まれている。

こうして多数の純真な人々を受け入れた北朝鮮は「地上の楽園」ではなかった。金日成独裁政権は約束を守らなかった。帰国者を日本にいたときよりも深刻に差別し、全く想像できなかった弾圧を加えた。朝鮮労働党は、帰国同胞を劣った思想の集団とみなして非常に鋭敏に反応し、多くの人々を政治犯収容所に送るか処刑した。

私が暮らしていた所でも、ユンソン三兄弟は脱北を試みて政治犯収容所に引っ張られて行った。ヤンジュンとパルジョンお婆さんはスパイの濡れ衣を着せられて引っ張られて行った。腕っぷしが強そうな三、四人の青年が息子を呼び出し、パジャマ姿のまま引っ張って行ったそうだ。後で、人民班長が「スパイだ」「反動だ」と耳打ちした。

こうして多くの人々が政治犯として収容所に送られた。政治犯となれば本人だけでなく一家族全員が連座制で山奥に「追放」され、「敵対階級」として監視対象にされる。

私は、北送が「帰国」なのか「拉致」なのか「誘拐抑留」なのか改めて深く考えてみた。当時、寺尾五郎のような日本の左翼人士、日本共産党と北朝鮮労働党、朝鮮総聯の虚偽宣伝で北朝鮮に「帰国」するように仕向けられた。そして、北送後には約一万八千人の北送同胞が収容所に拘禁された。北送同胞のほぼ全員が韓国、あるいは日本への帰郷を心底から願っていたが、窓がない監獄に抑留された事実を「帰国」だというのか「北送」というのか。「誘拐抑留」というべきだろうと思う。

政治犯にされる基準は非常に曖昧だった。党が下す指示や首領の一言が即時に法になり、その法が随時変化するのだ。だから猫の目になぞらえて「猫の目のように変わる社会」という言葉が飛び交う。新法ができても公表せず、新聞や放送を通じての広報もしない。

事件に対する弁論の機会もない。そして地獄と呼ばれる政治犯収容所に収容されれば、死んでも「死亡通知」はない。だから、今でも生存のために多くの北送在日同胞は嘘の忠誠を誓い、意味も分からないまま熱狂的に両手を振って「金氏王朝万歳」を叫ぶ。

「苦難の行軍」で配給まで切れ、一日を生きるのが難しくなると、多くの北朝鮮の人々は自ら風呂敷包商売（ポッタリチャンサ）をし、闇市場で食料を手に入れて延命した。

言葉ではポッタリチャンサとか闇市場（チャンマダン）と言うが、実態は互いに騙し騙される暗黒の無法天下である。北朝鮮で生まれて北朝鮮社会に同化した帰国者二世は、それなりに生きることができたが、帰国者一世には適応が難しかった。彼らが頼れるのは、日本に生存している親戚だけだった。日本の親戚はこうした事情を知っていたので「帰国」した子女や兄弟のために支援を惜しまなかった。

しかし世代は変わり、日本の親戚が亡くなって連絡が途絶えた帰国者たちは、苦難の時期に死ぬほかなかった。

マル反動

一九七二年頃だったと思うが、隣に住んでいた林スナムという「帰国者」の家から突然、どなり声とオンドル石が崩れるような「ドシン、ガシン」という音がした。

父と母が走って行った。暫くして静かになると、ひそひそと小さな声が聞こえ、暫くして母が帰ってきた。寝る時間で横になっていた姉、宿題をしていた私、二人の兄、そして妹まで全員が呼ばれた。全員集合に何だろうと思った。母は、

「スナムが何日か前に友達と酒を飲み、日本は自由な国で発展をしているが、朝鮮は自由も食

糧もない乞食の国だと口をすべらしたらしい。ところが、その友達が保衛部の情報員だったようで、政治犯収容所に引っ張られていった」と言った。

北朝鮮ではこうした「失言」を「マル反動」という。

「みんな、私の話をよく聞きなさい。相手が誰でも日本について聞かれたら知らない。嘘でも朝鮮の方がずっと暮らしやすいと言いなさい。分かった。そして絶対に友達として付き合わないこと。朝鮮には家族と兄弟以外に信じられる人はいないのよ。『父母を売ってでも友達付き合いする』というのは朝鮮ではとんでもない嘘だよ」

目をむいて断固と話す母の姿には、北朝鮮社会に対する激怒と恐れの感情が込められていた。

暫くして父が帰ってきた。

「お前たち、話を全部聞いたろう。日本にいたとき、盗むな、義理と道理を通して生きなければならないと教えた。だが朝鮮ではそうでない。家族以外に誰も信じてはいけない。言葉にだけに気を付ければ良い。絶対に日本がどうだ、朝鮮がどうだと言わず、とにかく分からないと言いなさい。テヒ、前に日本に手紙を出したのを忘れてないだろう。お前たちの一人が間違えば、我が家全員が追い立てられる」

「見聞きして感じたことを絶対に話さず、良くても悪い、悪くても良いと話さなければ家庭の安全を守れない」

この言葉は頭に焼き付けられた。

息子が収容所に送られた林さん一家は、連座制で敵対階級に落とされ、二人の弟は炭鉱に送られて革命化（重労働を課しての思想改造）されることになった。

北送同胞で収容所に送られた人々の中には、朝鮮総聯で幹部をしている親戚に頼んで北朝鮮に「忠誠資金」を充分に貢いで釈放された人がいる、という話を聞いた林さんも、朝鮮総聯で事業をしている叔母が送ってきたお金を献納して息子を釈放してもらおうとしたが成功しなかった。最高指導者金正日の目を引くほどの金額でなかったのか、既に死んだのか理由は分からないが、とにかく収容所から戻らなかった。

革命化区域で刑を終えて出てきた人はいても、政治犯収容所完全統制区域から生還した人は一人もいない。

私が暮らしていた地域に二十五世帯約百人の帰国者がいて、脱北、スパイ、言葉反動等で捕まった人が十六人いた。これは「帰国者の十五〜二十パーセントが収容所に監禁された」という証言が正しいことを裏付けしていると思う。

犯罪捜査用の頭髪と筆跡

一九七一年、私は軍事動員部の呼び出しを受けた。軍事動員部は軍に入隊する青年を選出する機関で、これも党の指示を受けて動く軍事動員組織だ。

D郡に住む十八〜二十一歳の「帰国者」男性たちの身体検査と面接が行われた。これまで「帰国者」は軍の徴集から除外されていた。簡単に言えば動揺階層として信用されていなかったからだ。

私は身体検査と面接を通過して軍に入隊した。これは私が、成分と個人生活資料、日本との関連事項などの審査を通過したことを意味する。

今になって振り返って見れば、「帰国者」だった高容姫が金正日と同居中だった時期と一致する。これが「帰国者」も軍に徴集されるようになった重要な動機ではないかと思われる。それとも北朝鮮で初等教育と高等教育を受けたので、党で要求する思想改造ができたということか。

「イ・テギョン同務は、偉大なる首領金日成同志と親愛なる指導者金正日同志のご配慮で光栄なる朝鮮人民軍に入隊することになった」という「朝鮮人民軍入隊証」をもらった。北朝鮮で軍服務は最高指導者の「配慮」であり「光栄」だとされる。

「これが〈配慮と光栄〉ならば、軍入隊証をお前たち全員が持て」と大声を張り上げたかった。最高司令官という神のために軍人は「銃と爆弾」にならねばならない。人間の価値がいかに無視されているかは、軍人の一人一人を「弾丸」と呼ぶことに表れている。

韓国では十八カ月間軍に服務するが、北朝鮮では百二十カ月という青春時代を金氏王朝の奴隷として抵当に取られる。報酬もない奴隷暮らしの賦役であり、私にとって軍服務は青春を金氏王朝に盗まれた人生窃盗事件だ。

新兵訓練を終えて最初に配置された場所は黄海南道だった。私はそこで砲兵として軍隊生活を始めた。全てが命令による生活に慣れるには多くの困難があった。

部隊編成が変わり、次に配置された場所は江華島が目の前に見える黄海南道の海沿いだった。「資本主義の水を飲んだ在日同胞」の私を、韓国を目の前にした部隊に配置したのは非常に破格的であった。

ここで成分を再調査して第一戦線地域で服務できるか否か再検討し、除隊させるか他地域の部隊に配置換えされた。私は引き続きここで服務することになった。

北朝鮮の軍隊生活は、朝六時に起床して夜十時の就寝時間まで、機械のように一日中繰り返す警備巡察で疲れきる日課の連続であった。そうした中で、夕方九時から三十分間の自由時間は、息抜きができる時間だった。

八十人が生活する中隊兵舎の片隅に、暖房のため床から五メートルほど掘り下げられた中にオンドルの焚き口が設けてあった。その地下トンネルのような空間で家族を思って幾度も涙した。

いつしか一年が過ぎて副分隊長になった。上官に口答えできない六人の兵士を命令で動かせる副分隊長の地位は本当に良かった。

北朝鮮の軍隊生活で最も耐え難いのは空腹だ。軍務と生活の疲れは耐えられても、石でも消化するという壮健な青年兵士に与えられる毎食二百グラムの飯と塩汁、そして大根漬が全部の食事では物足りず、空腹に耐えられなかった。

人民軍では基礎代謝量や五大基本栄養素とかは全く考慮されなかった。本来、一食二百グラムの飯を支給しなければならないが、連隊、大隊、中隊の倉庫からその通り支給しても、末端兵士の分は百五十グラム程度にしかならない。

軍生活にある程度慣れ、食堂当直官になれば、少なくともその日は腹いっぱい食べられ、翌日まで空腹を免れることができた。一般兵士たちには取るに足らない食事でも、まともに食べようとするなら、食堂当直官によく見せないといけなかった。だから、飯の量を意のままに調節できる食堂当直官は、その日だけは「連隊長権限」を持った。

八十人構成の中隊に四歳下のチョ・ヨンという帰国者がいた。ある日彼が食堂に私を訪ねて来た。

「副分隊長同志、飯は無いですか。とても腹が空いて……」

「そうか、ところで残りはこれしかないが、これでも喰うか」と、私は言いながら釜に付いた最後の米粒まで取ったが、椀の三割くらいだった。私は、わずかばかりの飯を塩大根と一緒に差し出した。

「ありがとうございます」と言うと、瞬く間に食べてしまった。

ガツガツと飯を食べる姿を見て、私も以前は同じだったと思った。

彼は水までゴクゴク飲み、物足りなさそうに目玉を上下に転がした。

「副分隊長同志！　明日も食堂勤務ですね」

「ウン。明日は多く出すから歩哨に立つときに立ち寄りなさい」

憐れむ目で彼を見ながら答えた。

彼の目付きから、有り難く思っている胸の内を読むことができた。

「ところで、副分隊長同志、注意して下さい」

「おー、何のことか」

「それが……、どこへ行っても絶対に話さないと約束してください」

と言う彼の態度は非常に真剣だった。

「そうか。約束するよ」

約束まで要求するので一体何の話なのか、とても慎重なので非常に気になった。

「あの……、大隊保衛指導員が私に副分隊長同志を監視しろと言いました」

と言って、私の反応を見た。

「そうか、何を監視しろと言ったのか」

平常を装ったが、心中では彼が何を言うのか落ち着かなかった。

故郷が北朝鮮と反する資本主義の日本で、親からも資本主義の影響を受けているので、一番の監視対象にされたのは当然だ。帰国者を帰国者に監視させるのが適格だと判断して彼を情報員として使っているな、と簡単に推測できた。

「本当です。私たちの部隊で誰がどんな誤りを犯したのか報告書を書かなくてはならないので、それが心に引っ掛かっています」

チョ・ヨンはそれとなく、自分の立場を誇示していた。

「そうか。しかし私は間違った事もなく、間違うこともないと思うので大丈夫だ。知らないふりをして保衛員に睨まれないようにうまくやれ」

心では憤ったが、落ち着いて話した。

「ところで何ですが、副分隊長同志の髪の毛と筆跡を持ってこいと言うので、どうしましょうか」

もし、何事か起きてＤＮＡ検査をするときに必要なのは髪の毛であり、反動的な大字報（ビラ）でも出回れば対照用に使われるのが筆跡だ。

「そうか。髪の毛は今でも持っていけば良いし、筆跡はノートを一枚破って行けば良いではないか」

こうした事は、彼でなくても誰かが必ずやらされるので、そのまま持たせる方が気楽だった。何でも無いように装ったが、背信感で握りしめた拳は震え、後頭部を強く殴られたようだった。

党生活総和（総括集会）では公開の場で戦わせ、保衛部は互いに監視要員を置いて捕まえるのが「新型王朝体制」システムだと知ってはいたが、実際に私が監視と不信者の対象にされたので心穏やかでなかった。

監視された代償で労働党員になった

いくら考えてもくやしかった。党に逆らう言葉一言で捕まる恐ろしい社会、幹部に睨まれれば人生を葬られる社会、首領絶対主義が存在の基準となっているのを知っているので、慎重に気を使い用心してきたのだが監視を受けていたのだ。もつれた髪にベトベトした水飴が付いたような気分だった。しかし、危機の後にはチャンスがあると言うではないか。こうしたときほど正面突破するのが良いと思い、中隊政治指導員を訪ねて行った。

「中尉同志、下士イ・テギョンと会って頂けますか」

しばらく迷い、決心して訪ねて行ったので我ながら思わず堂々としていた。

中隊本部では中尉の階級章を付けた政治指導員が、党生活資料を熱心に整理していた。

「ウン、何の用事だ」

薄い髪だけ見ても意地っ張りそうな政治指導員が、伸びをして気乗りなく言い返した。

「一つ問題があって来ました」

軍隊時代の著者

普通ならば目も合わせにくい上官だったが、勇気を出して続けた。
「保衛指導員同志が私を監視しているようです。私は党と首領様に命を捧げ、祖国統一に貢献しようと決心して軍隊に入隊しました。ところが私を監視するとは……。不安で仕事ができません。私に間違いがあるならば、政治指導員同志が直接おっしゃって直してください。そうして下されば心が落ち着きます。私の髪の毛と筆跡を保管して一挙手一投足を監視するのは、私を信じられないので継続して監視するという事と違いますか。それで、どうして党に忠誠を誓っていられますか」

心にも無い「党に忠誠」という言葉がよどみなく出てきた。

「そうか、監視をどうして知ったのか?」

政治指導員は万年筆を本に挟み、疑わしそうな表情で黒い目をぱちぱちさせた。

「それは話しづらいですが、私を監視していることだけは知っています」

裏切る感じがしてチョ・ヨンの名前は出さなかった。あなたが自分で処理して下さいという意味だった。

「分かった。調べてみるから、呼んだらまた来い」

「分かりました」と挙手敬礼して背を向けたが、首根っこを捕まえて「誰が話したのか正直に言え」と問われそうな気がした。

翌日、中隊本部が私を呼んだ。当時、北朝鮮の軍人は真冬でも、下着とたった一枚の綿入冬服しか支給されなかった。だから、体を温められる中隊本部に入るのは短時間でもうれしい事だが、今回はそうでなかった。昨日の結果がどうなったか分からないからだ。

「中尉同志。下士イ・テギョン命令通り参りました」

政治指導員は、挙手敬礼して立っている私を凝視し、腕組みをして慎重に話し出した。

「私は、テギョンが党と首領様に忠誠を尽くす一念で軍事服務すれば、党はお前を公正に評価すると思う。帰国者たちの中でも成分が良い方だし……。だから党の期待を裏切らずに命じられた軍務をきちんと遂行することを期待する。」

言うべき事は言い、聞くべき言葉を聞いたと思うと気が晴れた。

六カ月後、私は労働党に入党できて小隊分組長（小隊社労青組織責任者）、大隊社労青委員として活動することになった。これは保衛員の監視と情報事業の失敗に対する無言の謝罪だったのだろう。また、実弾と銃を持って前方勤務する軍人が監視を受けていると知れば、脱営や脱北しかねないからだ。私が軍務に就いていた地域は、韓国と五キロしか離れていない前方地域だったので、軍保衛部は私のような者の一挙手一投足を監視しなければならず、事前に脱北を防ぐのは当然のことだったのだろう。

こうした事を通して、「帰国者」である私に対する監視は常時継続されており、北朝鮮で生き残るには、嘘でも党と首領に忠誠を尽くさなければ生き残れないことを知った。

「過剰忠誠」は生き残れるが、「未達忠誠」は監視と粛清の対象になるのだ。

迷路を疾走するトラックのようにヒヤヒヤした人生、いつ現れるかも知れない障害物を克服し、前後左右を注視して走らなければならない人生だと再認識した。

第六章　適者生存

板門店斧蛮行事件

北送後は一日も欠かさず「米帝と南朝鮮傀儡徒党を討って祖国を統一しよう」「平和統一はありえない」「必ず武力統一しなければならない」「偉大な首領様の代に武力統一を成し遂げなければならない」と、耳にタコができるほど叩き込まれた。こうした政治教育と方針、教示は聖書の十戒より確実に脳に刻まれていた。

北朝鮮人民軍の日課は、一日二十四時間振り返る隙もない緊張の連続だった。五八年式ＡＫ自動歩兵銃を胸に抱えて砲陣地防弾壁に添って歩哨勤務に立ち、遠くに天の川と星が溢れる夜が好きだった。無数の星と一つになり、考えに浸る機会は私の人生で多くなかった。静かな夜に月を見れば、過去と現在、そしてこれから生きる未来が大きな絵のように現れる。宇宙という巨大空間の中で、地球は太陽系の小さい惑星だ。

韓半島の大きさは世界八十三番目だ。それさえも二つに分かれ、私が二本足で立っているこの地は地図に表示できないほど小さい点だ。人口二千四百万の北朝鮮で、私一人いなくても関係ない。いようがいまいが、私が踏みしめている一坪もないこの地で、数奇な一つの人生の過去と現在、未来が設計される場がここの砲陣地歩哨所だ。

高く黒い空に蛍火を撒いたような無数の星。その美しい空を眺めているときは、私にとっては砲陣地でなかった。

この高い空の下に私も家族も韓国の親戚もいて、日本も世界もある。いま、父母兄弟は何をしているだろうか。除隊になれば何をしようか。

「帰国者」の私は党、政、軍の幹部にはなれない。ただ私ができるのは技術を身に着けて自分を守って生きることしかない。技術、技術……と考えにふけっていた。

「止まれ！　誰だ！　暗号！」歩哨交代の時間だ。

瞑想から覚めた。このように瞑想に浸れる時間もせいぜい二時間だった。六時間後の瞑想の続きを思い歩哨交代をする。

こうした中、一九七六年八月十八日、板門店で北朝鮮軍兵士が米軍兵士を斧で殺害するという事件が発生した。北朝鮮で「板門店斧蛮行事件」と呼ばれるこの事件は、共同警備区域内でポプラの枝打ち作業をしていた米陸軍将校ボニファスとパレットが、北朝鮮兵士の振り回す斧で殺害された。これを受けて、韓国軍は六十四人の決死隊をカトゥサ（韓国陸軍から在韓米軍に派遣され、米軍服を着て米軍の指揮に従う兵科副士官）に偽装させて、北朝鮮軍哨所四カ所を破壊したが、北は応戦せず、拡大を恐れた金日成は「遺憾声明」を国連軍司令官に伝達した。

しかし、北朝鮮国内で「遺憾声明」は全く知らされなかった。重要なのは、一九六八年一月二十三日の「プエブロ号拿捕事件」でもそうだが、「歯には歯、血には血で我々は応える」という最高司令官の言葉に勇敢な朝鮮人民軍が従い、その反撃に恐れをなして南朝鮮と米軍は降伏したと宣伝、講演、学習させて全国民に信じ込ませることだ。

「板門店斧蛮行事件」は、私たちの中隊が六キロほど離れた第六中隊の防御陣地建設に動員されていた時に発生した。

《外出中、休暇中、動員中の朝鮮人民軍全部隊員は至急戦闘陣地に復帰し、国民は移動中の軍人を全ての輸送手段を動員して復帰を支援せよ》との金日成最高司令官命令が下され、全国に伝えられた。

私たちは百二十発の実弾を弾倉に装填して坑道生活に入った。山の底辺から横に突き抜ける八、九メートル幅の坑道の前坐地に百五十二ミリ砲六門を展開し、常時砲弾装填までして直日砲（砲射撃日直勤務）交代をしながら差し迫る戦争に備えた。

湿った坑道の兵室で服も脱げず、防毒マスクと弾倉袋を枕に戦闘態勢のままで寝た。私はいつか必ず戦争になると思っていた。それが今日になるか明日になるかは分からない。軍隊は十年養って一日使うものという。その一日が軍服務終了後なら良いが、今日になるかも知れないと考えて悲壮な覚悟をした。

五分もすれば、米韓軍が水陸両用戦車でここまで入って来るだろう。もし、そうなったらどうすべきか準備する必要があった。死んだふりをして、近くまで来たら白い下着を脱いで振りながら投降をするのが最善のようだ。

しかしそれはあまりにも卑怯でないか。銃を持って軍に入隊したからには男らしく戦うべきか。そうではない。それはバカがすることだ。金日成のために命まで懸けて戦わなければならない理由がない。南朝鮮は両親の故郷で親戚も住んでおり、私が生まれた場所は日本だ。自由と民主主義も韓国にはある。だから私には金日成と彼の独裁体制のために命を捧げるべき何の理由もなかった。しかし、白旗を掲げて飛び出せば前後左右から飛んでくる銃弾に当たりかねない。

ずっと後に、友達と両親にこのときの決心を話して笑われた。

除隊後の計画はこの歩哨所で構想し、その構想で実現されたと言っても過言でない。では何から始めるか。それは、幼いときに学んだ日本話を忘れないように復習するのが一番合理的だということだった。私は「カタカナ」「ひらがな」から始めた。教科書も教えてくれる人もいない歩哨所で、覚えている日本語で「自問自答」を繰り返して記憶が戻り、ある程度日本語ができる基礎になった。

P医科大学

私は一九七九年十月、命令と指示で動くロボットのような軍服務を終え、人生の半分を生きなければならない、複雑で難しい社会生活の第一歩を踏み出すことになった。

北朝鮮での生活はとても単純だ。毎日決まった時間に起きて、各自に任せられた仕事をして夜家に戻る。統制と監視がない空間で緊張を解き、家族と食事をして話を交わし、十時に寝床につく。自分の頭で考える必要がない。全ての事は党が決定し、それに従えばいい。従わなければダメだ。先んじても遅れてもならない。自分の頭で考え、少しでも創意性を持って動けば批判を受ける。頭の良い人ほど逆転した社会がきちんと見えなくなる。

正しいことを言えば反動とされてすぐ政治犯収容所に送られる。私たちの人生は回転車を限りなく回し続けるリスのような意味のない人生だ。北朝鮮では、自由民主主義社会の自由に伴う無限責任がなく、多くの法律を知らなくても良い長所がある。しかしその長所と比較できない短所は、人権が無く、言論、集会、結社の自由も全く保障されていないことだ。

成分を重視し、全てが成分によって決定されるので未来を計画・設計する必要もない。親が労働者なら子供も労働者、党幹部ならば子供も党幹部、農民の子供は農民にされるから心配や努力する必要もない。特定の人だけが特権を享受できるのが明らかで、階級によってできる事とできない事が明らかに分かれ、全てを宿命と受け入れて生きれば良い。

学校も成分によって入れる学校と入れない学校がある。職場も特定階級が占める職場があり、成分が悪ければ考えてもならない職場がある。だから人生が非常に単純だ。生まれた成分通りに生きれば良いのだ。

北送在日同胞も、犯罪に関与した者やその家庭の子は大学に入れない。かといってすべての大学に進学できるわけでない。政治大学、国防大学、国際関係大学のように政治幹部と外交、国防の指導階層を育てる大学には進めない。それで私は医科大学を選択した。

両親からは坊さんが唱える念仏のように、「何が何でも大学卒業」と聞かされた。

人類の歴史を戦争と宗教の歴史という。北朝鮮の約七十年の歴史は階級・成分制度、賄賂、粛清と独裁、人権を除外しては語れない非常識な悪の歴史だ。

北朝鮮で幹部になるには、軍服務経験者、大学卒業者、労働党員という三大要件を満たさないとならない。

軍服務経験者、労働党員という二つの要件を満たしていた私は、推薦だけ貰えれば大学入学に問題がなかった。もちろん「竈のそばにある塩もつまんで入れなければ塩辛くない」（た易い事でも手を下さなければ成就しない）という諺があるように、誰かが入学推薦してくれての話だ。

そのためには賄賂が必要だった。北朝鮮には「盛れば動く」（賄賂を使えば必ず効果がある）という諺がある。北朝鮮の大学入試体系は市、郡大学募集課の推薦を受け、大学入学試験を受けなければならない。そして大学幹部課で入学を決定する。私は募集課と幹部課に高級タバコを賄賂として贈り、八〇年九月にP医学大学に入学できた。もちろん、入試成績が良くなければならない。

P医学大学は、大きく臨床学部と特設学部、東（洋）薬学部に分かれている。私は特設学部に入学した。特設学部は病院幹部養成を目的とし、高等教育を受けて病院で勤務した者が入学できた。

大学予科で物理、化学をはじめとする基礎科目を除く全ての臨床科目の教育を受けた。臨床学部と同じく全科（内科診断学、内科、外科総論、四肢外科、腹部外科、整形外科、神経科、産婦人科、小児科、眼科、耳鼻咽喉科、肝炎、精神病学、軍医戦術、結核、放射線など全ての科）を修了して現場実習終了後、病院に配置される。科目ごとに理論と実習が必修で、六カ月間の現場専門実習後に卒業試験を通過しなければならない。

私の人生でこの時ほど、手から本を離さず一心不乱に学習した時期はない。医師は治療技術を学んで活用しなければならない。医療事故を起こせば、患者が死亡したり後遺症を残したりと深刻な問題になる。英才でも天才でもない私は、「自身のこと」として医学治療技術習得と博士号取得のため学習に専念した。この期間中、学習以外には何もしなかった。

大学の日課は、概略一日六時間の講義を受け、午後は大学閲覧室か図書館で六〜八時間の復習と予習をする。夕方には学部別に点検して午後十時に就寝する。朝六時に起床し、七時に朝食、八時から講義、復習と予習という日課が卒業まで繰り返される。

大学は除隊軍人を中心にして小隊（学級）、大隊（学部）、連帯（全校）と、軍隊式に編成されて隊列を管理・指示する。軍生活と違うのは、食事や夕方の点検は軍隊式に列をなさなければならないが、自由だということだ。

韓国との違いは、インターン（医師試験受験前実習訓練）とレジデント（研修医）制度がなく、三年に一回級数試験を受験して合格しなければならないことだ。不合格の場合は級数が下がる。級数は六級から一級まであり、三級以上は「供給対象」とされて食糧供給カードがもらえ、毎月、油と砂糖、卵などの供給がある。

三級は、研究士及び準博士学位・学職所有者、二級は博士・教授以上、一級は院士級だ。

北朝鮮の教育と科学技術体系は「ソ連」を模倣したので、韓国と比較すると相違点が多い。苦難の行軍以後、この体系はなくなり、配給面で無意味な状況になっている。

「カラスはカラス同士」

結婚とは、異性との結合であり約束だ。結婚は、最も崇高で美しい愛と信頼を基礎にして家庭をつくる。だから愛すれば結婚し、結婚すれば家庭を作って子供を作る。

愛は、理想と未来指向的な経済力、意識程度と理解程度など数多くの変数で成り立つ。こうした神聖な結婚を、北朝鮮では党と首領に対する忠誠心を基に成り立つとして、党が意図する結婚を強要される。「話にもならない」とはこれを言うのだろう。

帰国者は下級成分と規定されているので、党、軍、政の幹部級成分の相手と結婚すれば、配偶者は帰国者と同じ低い成分に落とされ、幹部になる資格も剥奪される。また、意識の違い、思想の違いで愛は成就しづらい。愛は感情であり感性の表現だが、首領に対する忠誠心と成分によって未来が決まる北朝鮮では、愛するから結婚するのではない。

青春の情熱で愛し合い、忠誠心と成分を越えて結婚に至ろうとするとき、党委員会が止めるのは、北朝鮮で暮らす国民なら知らない人はいない。

軍隊を除隊した私にも初恋があった。約二十年間金日成体制下で暮らして純粋な愛も悪くないと思っていたが、「原住民」との結婚は想像もしなかった。

一九八〇年末、私は「帰国者」の娘と結婚することになった。家族単位で成り立つ生活と北朝鮮の連座制は、当事者だけでなく配偶者の両親兄弟も無視できない。

彼女は小柄で私と歳の差が大きかった。彼女の両親は私の長兄と同じ年頃で、考え方でも意識的な面でもレベルが合うといって私を気に入ってくれた。

義母は隣家に住んでいた「帰国者」と「原住民」の結婚と離婚に関した出来事をよく覚えていて「原住民」との結婚には死ぬほど反対し、私たち「帰国者」同士の結婚を、もろ手を挙げて賛成した。

六〇年代、身寄りなく単身で北へ渡った在日同胞のなかには、北朝鮮の成分制度を知らずに孤独な生活を癒すために「原住民」と結婚する例が多々あった。

一例として、結婚して義母の家の下の階に住んでいたムン・ヒョンという帰国者の場合を述べよう。

七〇年代初めにムン・ヒョンは、機械工場設計室で一緒に働いていた「原住民」の娘と一時の愛で結婚した。彼女は一般常識も人並み以上で、人柄も他と異なり、多情多感なムン・ヒョンを好いて交際し、婚前妊娠した。北朝鮮で婚前妊娠は想像もできないことであり、噂になる前に結婚登録した。一日一日が幸福で楽しかっただろうが、家庭には笑いと揉め事が空気と水のように共存している。

そのうちに揉め事が多くなり、殴る音とともに「私を殺せ」という声が聞こえるようになったそうだ。そして、ムン・ヒョンは音もなく消えた。

彼は政治犯収容所に引っ張られて行ったと噂され、ムン・ヒョンの妻は夫が日本から持ってきた荷物を実家に持ち帰ってしまったそうだ。

義母と親しかった保衛員の妻の話によれば、夫婦喧嘩をして、妻は感情の爆発を抑えられず、「夫は毎晩密かにトランジスタラジオで日本の放送を聞いている」と保衛部に「告発」すると同時にラジオを証拠として提出したそうだ。離婚手続きも無く、彼は政治犯収容所に送られたという。保衛員の妻がここまで言うとは、ムン・ヒョンの妻の振る舞いがどれほど酷かったのだろうか。

日本でラジオ放送を聞くのは普通のことだが、北朝鮮に生まれ育って金日成唯一思想に洗脳された「原住民」は、日本の放送を聞く者を「反党反革命分子」「スパイ」と見做す。「原住民」と「帰国者」は根本から違うのだ。

この件で、「原住民」と「帰国者」は結婚してはならない水と油の関係だと胸深く刻んだそうだ。

第七章　北朝鮮の独裁体験

独裁者の死は人民の幸福

一九七〇年十一月、労働党第五次大会で革命武力建設路線を提示して全国要塞化、全軍幹部化、全国民武装化を進めた。企業所には労働赤衛隊、大学には教導隊、中学校には青年近衛隊を組織して軍事訓練を受けなければならなかった。全国民が銃の扱い方を知り、有事の際には命を捧げて戦争に参加することが義務化された。

私たちは全民武装化という名目で毎年数日間、義務的に訓練に参加した。一九九四年七月七日から三日間、私が勤めていた医学研究所でも労働赤衛隊の訓練をした。男女全員が赤衛隊帽子に赤衛隊服（国防色上着と帽子、ベルト）姿で、木銃（木製ＡＫ自動歩兵銃模型）を担いで近くの山に登って訓練した。形式上の訓練と時間つぶしであった。山で「ほふく前進」と、木銃を使った腹這い射撃動作を何度か行い、カード遊びで時間を過ごして山を下るのが訓練の全てであった。

一年、二年、十年、数十年と続く戦争準備で緊張した状態で暮らさなければならなかった。

緊張が続くとそれが普通になって全民武装化でなく全民無力化してゆく。金氏王朝は悪化する生活の不満不平を「戦争準備」で宥めようとした。

翌日も訓練のため山に登った。黒雲が広がり、周りが暗くなって急に風が吹くと細い雨がポツポツ降り始めた。多少の雨なら雨具なしだ。濡れた服は着たままで乾かす(北朝鮮では普通)のに慣れた私たちは小雨に打たれながら、山の近くにある経理課長の家に入った。

訓練が終わった早い午後、わずかなお金を集めて酒の席を設けて集まり、不満多く退屈な一日を二十度の酒で解消するのが私たちの常だった。

村に入ってくる人々が、重大放送があると騒いでいる。私たちは重大放送とか特別指示とかに慣れ過ぎていたので、今日の重大放送も特に意味が無いだろうと考えていた。

私たちは、畦で獲って来たドジョウと豆腐が載った丸い食台を囲んで座った。

この時、薬剤師のチョルラムが、水に落ちたネズミのように髪の毛から水を垂らして入って来ると、苦しそうに大声を張り上げた。

「偉大な首領様が亡くなられたそうだ」

金日成は永生する神だから、私たちは誰も信じなかった。かえって軽口をたたいた。

「おいお前！　ほかに行ってそのような話はするな。大変なことになるぞ」

金日成が死んだと話すことは、政治犯収容所に直行することを意味する。その場で殴り殺してもかまわないほど、政治犯の中でも最も重い政治犯だと私たちは知っていた。神のような存在である金日成が死んだなど想像もできないことだった。

小隊長は叱りながら酒を一杯ずつ注いだ。私は以前から、金日成が死なないと北朝鮮は独裁から解放されないと信じ、独裁者の一日も早い死を待ち望んでいた。

「金日成は本当に死んだのか」と考えただけでも胸が高鳴った。喜びの鼓動だった。

「金日成は人民の太陽でなく悪魔の大王だ。金日成が死なねば私たちは生きられない。どうか彼一人を殺して数千万人を助けてください」と叫びたかった。

出て行って戻ってきたチョルラムは大きく目を開き

「たった今テレビで重大放送があったんだ」と告げた。

労働赤衛隊小隊長の任務を遂行していた経理課長は、注いで置いた酒を一息に飲んで立ち上がって言った。

「今日は注いだ酒だけ空けて、早く研究所に帰りましょう。先ず帰って確かめましょう」

彼に続いて皆が一緒に立ち上がった。

私は、つまみを食べてからと思ったが、過剰忠誠心が称賛される北朝鮮式忠誠心が動いた。万が一、金日成が本当に死んだのに酒で酔ったとなれば政治犯にされる。

数十年を金日成、金正日体制の下で思想学習させられて洗脳された私たちは、研究所に戻った。

私は、金日成が本当に死んだのならば、私たちを踏みつけていた独裁の黒雲は消えてついに北朝鮮も自由な世の中になる、と思いながら心中で快哉を叫んで研究所まで走って行った。

金日成は七月八日深夜二時に死亡し、三十四時間後の七月九日の午前中、私たちは「重大放送」を通してやっと独裁者の死を知った。

暗くどんよりとして雨がしとしと降る日は、金日成が死亡した幻想的な希望に胸を膨らませたその時その日を思い出す。

集団催眠と感情統制

髪一本の乱れもなく髪を油で整えた三十代半ばの研究所秘書は、全てが党の指示と忠誠で強く洗脳された「忠誠のロボット」だった。秘書と所長はいつもより悲壮で厳粛な表情で従業員総会を招集した。

「空が崩れました。今、国全体が悲しみに沈んでいます。私たちは空の太陽であられる金日成同志を永遠に仰ぎ迎える心情で、さらに緊張して生活しなければなりません。偉大な首領様はいつどこでも私たちと共にいらっしゃいます」

党細胞総会が開かれ、研究所行政集会で追慕所設置の討論が進められ、皆が大粒の涙を流して泣き叫ぶ海になった。この「忠誠の追慕所設置」という演劇で、各々は最優秀演劇俳優を凌駕するほどに配役を演じた。金日成追慕祭壇設置のため、各自最大の忠誠心を発揮して必要な全ての物を持って来るようにと家に帰した。

一時間ほどすると、研究所正門の大きな警備事務室にある四メートル×二メートルほどのテーブルの上に、あらゆる酒と肉、餅、珍しい果物をはじめとして追慕壇に載せる品々が瞬く間に供えられた。

北朝鮮では見られない日本製の線香まで登場した。コッチェビがいる社会とは想像もできないほど多くの食べ物や高級酒と花で飾られた。

党委員会と保衛部、安全部は随時に検閲に来た。そして研究所員の全家族を追慕祭壇に連れて来させて家族別に追慕させた。その度ごとに追慕登録カードを作り、参加状況を党委員会組織部に朝夕二回報告することになっていた。そしてH市にある金日成の肖像画、研究室に置かれた石膏像、銅像に、所属単位で追慕行動をさせた。

追慕行動は、先ず、生きている金日成に会う心情でしなければならない。次に、一番上等で清潔な服を着なければならない。過度に派手な服はいけない。追慕は秩序正しく、真心を持ってしなければならない。

党委員会宣伝扇動部員が出てきて出席簿をチェックし、人員を確認する。五人ずつ横並びして追慕壇前で靴を脱ぎ裸足で絨毯を厳かに歩かなければならない。

「偉大なる首領、金日成同志に忠誠の気持ちを込めて丁重にご挨拶します」

という進行者の発言とともに、皆が跪き額を地に着けてお辞儀する。

突然、「首領様(スリョンニーム)！」と横から慟哭する声が鼓膜を破った。

私は驚いて地に着けた額を少し上げ、横目で列をなしている人々の姿を見た。臨床研究室外来の医師キム・オクファだった。彼女の叫びと泣き声が契機となり、実験助手のシクシクむせび泣く声、看護師のワアワア泣く声が続き……まるで多様な動物が同時に吠えているようになった。

私は、すばやく頭を地に着けた。本当に異常だった。私は涙が出なかった。自分の親の死ならば悲しみの涙、不孝者の涙は流せるが、何の理由があってそんなに悲しむのか理解できなかった。「死」に拍手するのは人としての常識と礼儀に反するが、正直いって拍手しても泣きはしない。

私たちの組が終わると、また次の泣き声の海、また次の組……。

大声で泣くほど忠誠心も大きいと認められる。いつの間にか泣き声の弱い組が異常に見えるようになる。一人が大声で泣き始めれば、その横ではもっと大声で泣かねばならない。一人が泣けば皆が泣くという集団催眠だ。泣かなければ異常者扱いされる。

目から流れる涙は無くても泣き声は大きく出し、顔は泣き面だ。本当に見苦しい姿だ。やはりその周囲では党委員会宣伝扇動部員、保衛員、安全員たちが任務を遂行していた。誰がより多く泣いているかいないか、誰が笑うような表情をしているか、彼らは鷹の目で一人一人の感情を読んでいた。

金日成追慕事業で慟哭する民衆

全国に偉大な首領金日成を慕う追慕檀を作り、二十四時間夜を明かして続けられた。葬儀が終われば供物を分け合って食べるのが普通だが、追慕祭壇の供物は口にしてはならない。供物を供えたまま。追慕事業は一週間が過ぎても終える気配はなく、継続して延長された。まるで忠誠心表現劇が面白くなったようだ。

「面白みの湧く谷に虎が出る」（面白いからといって良くないことを続ければ、結局酷い目にあう）という諺がある。一週間、十日過ぎても市場は取り締まりで閉鎖され、食糧購入ができず、草の根と水っぽいお粥で延命するほかなかった。こうして七月二十日、やっと追慕事業は幕を下ろした。

しかし、党、人民班、保衛部の活動は一層強まり、人民の思想動向を再度検討する契機になった。テレビ放送は金日成死亡関連の報と、「金正日を政治思想的に死守して革命を最後まで完遂しなければならない」という報道で一色化された。

その日も、元山市石隅洞百六人民班で行われた金日成逝去に関した報道と平壌市の人民班で行われた忠誠の決起集会の映像を流していた。

ある人民班で、一人暮らしのギョンスクという四十代のおばさんが厚化粧をして静かに座ってテレビを見て、放送が終わると静かに帰ったそうだが、情報部員によって「偉大なる首領様がご逝去されたのに、厚化粧をして赤い口紅を塗り、内心で快哉を呼びながらテレビを見ていた」と、担当保衛員に報告されて処罰されたという。

当時は人民班と職場を通じても住民の行動が党、安全部、保衛部に毎日報告されていた時期だった。化粧して口紅を塗っただけで金日成の死亡を内心で喜んでいると評価されたのだ。

これは北朝鮮監視システムを少なからず表している例だ。北朝鮮は肉体の統制段階を既に過ぎ、感情まで統制する「感情統制国」になってしまった。

沙里院の金日成銅像前追悼式には、道内全ての職場から生花を持って数千名が集まり何時間か待機し、銅像前で額を地に着けてお辞儀をした。百キログラムはある巨体の五十代女性が床にうつ伏せになって震えながら「首領様！」と嗚咽する姿は、名俳優の演技を越えて見苦しかった。

「首領様なぜ逝かれましたか。私たちを置いてなぜ逝かれましたか。私たちはどうすれば良いのですか……」と大泣きしたのは私がよく知るおばさんだった。過激で動きが激しい彼女は過剰忠誠心の持主であった。銅像周辺は、これを見ていた人々の泣き声の海、涙の海になった。涙を流さない人は正常でないと見做されるこの場で、白い歯を見せる者は一人もいなかった。全く異常だった。

金日成の追悼行事で半月も通常生活が止まり、飢える人々も多く、不平不満と苦痛があふれたはずなのに、その表出は全く見られなかった。それをテレビは「団結した朝鮮の姿」として放映していた。しかしこうした団結も忠誠も、いつの間にか消えていった。表で号泣していた人々も、内では喜んでいたのだろう。

人を陥れなければ自分が生きられない国

いつでも知識人は、想像できない技術と理論を創造して世界を導いて来た。しかし、金氏王朝唯一神を唱える「党の唯一思想体系」だけを追求する北朝鮮では、新しいものを創造したり研究したりするのは危険なことだ。なぜなら、知識人の鋭利な目は金氏王朝の異常な体制とその裏に潜んでいる悪と非理を暴くからだ。

研究家をはじめとするインテリ層は、「緻密な性格の人」「難しい人」「他と異なる難しい集団」とよく言われる。北朝鮮でインテリとは大学卒業生を意味するが、研究士を「インテリ中のインテリ」というとき、「緻密で難しい」という意味を濃厚に含んでいる。

私は、こうした「緻密で難しい」集団で数年間を過ごし、さらに奥まった北朝鮮体制の恐ろしさを経験することになった。

研究士たちは、出勤後一時間の外国語学習を義務化されていた。第一外国語は会話と翻訳、第二外国語は読みと翻訳だった。

その日、私は外国語学習後に計画に従って研究の準備をしていた。助手員という基礎実験室責任研究士チョ・スウォンが「数理統計学（研究統計法教科書）」の本を借りにきた。

大股で歩く彼の姿は恐竜の歩きを連想させる。

「テギョン先生、仕事は順調に進んでいますか？」と、白い歯を見せ、入れ墨のような青い黒子がある頬をピクピクさせながら声をかけてきた。

いつもと違い、体格に似合わない優しい声かけの後に何かが隠されているようだった。彼は、何かを企んでいるときは下に出て相手を持ち上げるクセがあった。

「まあまあです」と、そっけなく応えた。

「私は最近、考えることがとても多くて……。そうだ！　ビルマのラングーン爆破事件を知っていますか」と何気ないように聞いて来た。

「いや、知らないね」私も何気ないように答えた。

「南朝鮮の飛行機爆破事件も知りませんか。えー、知らない振りをしているんじゃないですか。誰でも知っている話なのに……」

彼は、物足りない表情だった。

「私を信じられませんか。ならばこの話はなかったことにしましょう」

彼は、話してはならない話をした罪の意識もなく、平気で戻って行った。

こうした噂や話を人にすれば政治犯収容所に入れられるのに、なぜこんな話をするんだろう。おそらく私の口から「知っている」という言葉を聞きたかったのだろう。瞬間、多くの疑問と答えが脳を駆け回った。

信じてくれる人には真心で接しなければならないが、騙し騙される世の中、殺し殺される北朝鮮社会でそうはできなかった。

私は、帰国者友達のスナムが、知人の密告で「マル反動」とされて引っ張られて行った事をよく知っている。北朝鮮では、いつでもどこでも言ってはならない言葉があり、役者のように生きねばならない。

私は兄弟のように信じて従ってきた市保衛員キム・テヒョンを探した。信じる事は一つもない北朝鮮の空の下、それなりに信頼できる人はキム・テヒョンという市保衛員だった。彼は三十数年間付き合ってきた二歳上の兄貴分、親友、救世主、そして情報通だった。

チョ・スウォンとの対話内容を彼に話すと、彼は市保衛部総合（保衛部の業務を総合的に担当している部署）に行って、研究所の情報部員名簿をこっそりと見てきた。

そして、四十数人の研究所職員中に三人の情報部員がおり、その一人がチョ・スウォンだと教えてくれた。

「テギョン、良くやっているか。チョ・スウォンはもともと成分が悪くて監視対象者だった。監視対象者を情報部員として利用するのが保衛部だ。監視者が他人を監視し、その監視者をまた他の監視者が監視する。誰も信じてはならないのがこの世を生き抜く方法だ」

彼は後ろポケットを探して金正日と喜び組に関したビラを取り出して見せてくれた。そしてチョ・スウォンの履歴も教えてくれた。

彼は、日帝植民地時期に山林看守だった父と妾の間に生まれた。親日分子の庶子なので敵対分子として抑圧と差別を受け、口にできないほど反社会的性格になった。それで彼を「表と裏が異なる」スイカのようなヤツだと人々は言っていた。

彼はこの社会では誰よりも悪として生きるしかなかった。上級学校に進学しようとしたが叶わず、敵対階級のため生活は最低で、粗食に耐えて採炭工として働かねばならなかった。風船は水中に押込むほど浮力が強くなるように、彼の思いは日に日に強まった。そして選んだのが医学通信大学衛生学部であり、卒業後に研究所に配置された。

十五年間の研究で「準博士（修士）」になったが、出身成分が「親日派」のため労働党員にはとうていなれず、室長にも昇級できないでいた。それで、保衛部情報部員の秘密事業をしながら私を政治犯に「陥れて」出世できない空間から出ようとしていたのだ。

その後何年か後に労働党員となり、市病院副院長に昇級した。きっと罪のない人々を政治犯として告発した代価だろう。

北朝鮮という地獄は適者生存の典型的な場だ。チョ・スウォンのような親日派の敵対階級には、親しい同僚でも食わねば生き残れない野生の輩が多い。北朝鮮という巨大な地獄で生きる人々は毎週、講演会で金氏王朝は唯一神である世界最高の偉大な領導者を頂いているという信じられない内容を頭に叩き込まなければならない。毎週の生活総和では、相互批判をして互いが争わなければならない。こうして、理解し合って寡黙に暮らす国でなく、全土が争う国、猜疑嫉妬する国を作った。人を陥れなければ自分が生きられない世の中、踏まれないために踏みつけなければならない社会、これが世界で一番暮らしやすいという朝鮮民主主義人民共和国、社会主義社会の真の姿だ。

第八章　脱北医師が見た北朝鮮の医療の実態

「無償医療」の虚構

配給が全て途絶した「苦難の行軍」の時期、ほぼ無報酬で診療する医師たちは収賄しなければ生き残れず、妊娠した女性は堕胎しなければ家族の生命を維持できなかった。そのため医師は、望まなくても掻把手術を施して収賄もしなければならなかった。

医療機関では毎年、金日成の「医療従事者は患者を肉親の情で治療しなければなりません」という教示に基づく「六・二四教示総和」が行われる。

「六・二四教示総和」とは、勤労団体秘書の指導の下、市、郡、道保健部長が準備して病院の医師・看護師を調査し、患者治療過程で生じた不正行為に対する処罰を下すことである。総和の二カ月前から六・二四検閲グループから医療機関に二〜三人が派遣されて事前調査をするが、この検閲に動員される医師は大きな力を持ち、幹部級に属する病院長を含む全医師に関した検閲文書を作成して保健部に提出する。そして党委員会「勤労団体秘書」の承認を得て処罰が下されることになる。処罰は保健職退出、月給と級数削減、期間無報酬、資格剥奪などだ。

「毎年六・二四教示総和をして、一番の難問題が産婦人科の不法掻把と賄賂問題です。患者は不法に掻把を受けた秘密を守り、医師は不法に賄賂を貰って懐にした秘密を守るので、誰にも知られずに賄賂の授受が盛んに行われるのが産婦人科です」

勤労団体秘書は、調査書をチェックしながら問い質した。

「いったい同務はどれほど多くの賄賂を貰ったのか素直に言え。党と首領様のご配慮を利用して自分の利益を得ようとしたのか？」

「賄賂はありません。ただ、何度も訪ねて来て掻把手術を受けたい事情を訴えたので情に駆られて……。夜、病院に来て手術をしてやっただけです……。私は、人民の命の責任を担う医師として、親愛する指導者金正日同志の保健戦士として、この上なく大きな信頼とご配慮に報いることができませんでした……」

小柄な医師は薄黒い顔をゆっくり下げながら、蚊のような声で自己批判した。

「同務！　私たちは偉大な首領様の六・二四教示を貫徹してご配慮をそのまま人民に届けるために、命の責任を負った人間技師としての責任を全うしなければなりません。『苦難の行軍』で多くのことが変わりましたが、まだ変わらず固守しているのは『無償治療』です。私たちは『苦難の行軍』をしながらも『無償治療』の優越性を、対内外に広く宣伝し、その恩恵を人民に回さなければなりません」

これは二〇〇二年、私が住んでいたH市の医師、看護師約二百五十人が参加した六・二四教示総和の様子だ。

「無償治療」は金日成の抗日闘争期に始まり、一九六〇年二月の最高人民会議で「全般的無償治療制」として法制化され、金日成と離しては語れない施策であり、「無料教育」を併せて社会主義の優越性と称して宣伝し、在日同胞が大挙して朝鮮に移動する大きな動機になった。

しかし、これは初めから虚像に過ぎなかった。確かに「無償治療」だが薬がなかった。薬がない「無償治療」をなんと言うべきか。ろくな医療サービスも、選択権もないのが北朝鮮の医療システムだ。

それでも八〇年代初めまでは、それなりに形式を保っていたが「苦難の行軍」という台風で一気に崩れた。

医学は単独では発展しない。必ず経済発展に伴って最新医学技術へと跳躍するものだ。北朝鮮経済の破綻は医学の退歩を意味し、最後まで「無償治療」の優越性を唱える党の指示をどう受け入れれば良いのか。「水がない井戸でも、井戸」と言うのか。

医療モラルの崩壊

北朝鮮の全ての決定は中央で行われる。医療分野も例外でない。中央から道と直轄市、そして市、郡、里に下されて全てのことがなされる。もちろん、その上には党があり、またその上には神的存在としての金氏王朝が君臨する。

解放後、日帝時代の小規模製薬工場を接収した北朝鮮は、一九四六年に興南製薬工場、平南製薬工場を再建、拡張したが、一九五六年には必須医薬品約百種類しか生産できなかった。一九五八年、北朝鮮の全生産分野が社会主義所有形態に転換され、保健分野でも中央集権体系が樹立された。一九六五年「製薬医療器具工業総局」が置かれ、それまで輸入していたイソニチド（結核薬）を輸出できるまでになった。一九八〇年代末までにペニシリン、ストレプトマイシン、テラミチン、広幅抗生剤と抗癌剤まで生産できるようになり、各種ビタミンを含むほぼ全ての薬を生産供給できるようになった。

順天製薬工場、新義州製薬工場、興南製薬工場、南浦子供工場、平壌製薬工場など多くの中央および地方工場で医薬品が生産された。

工場で生産された医薬品は、中央薬品供給所から道、直轄市、市・郡の薬品管理所を経て病院や診療所に供給される。しかし、経済は破綻し、北朝鮮全国が廃墟のようになると、現実として「無償治療」も崩壊した。

北朝鮮人民の生命線を繋ぐ統制手段だった配給制が断絶し、工場や企業が責任を持って労働者を養えという党の指示が出た。「無償治療」の基本骨格である製薬工場からの薬品供給も事実上「有償供給」に変わった。

薬品供給所長は病院に供給した記録を帳簿に残し、病院は納品証を保管する。病院の診療課では治療に使ったという虚偽の処方を記録して薬を市場で売れば、その代金はそっくり医師と看護師の財布に入る。そのお金は再び市場に回って米に代わり、その米を食べて無報酬の患者治療をする。医師、看護師は病院で働くしかない。だから、こうしてまで食べさせるのが病院長の任務だった。

「無償治療」の恩恵をそのまま人民に施すことが院長の任務だというが、より重要なのは医師、看護師を食べさせることだった。医師と看護師がいない病院は院長も必要ない。

これだけでは医師、看護師とその家族の生活を保障できなかった。今までは党と首領に忠誠だけ尽くせば職業も、食糧も、すべてのものが保障される社会だったが、今は何をしようが自分の努力で金を稼いで飯を食わせなければならない世の中になってしまった。

「苦難の行軍」で配給制が断絶し、病院では医者が診療しようが、看護師が注射を打とうがリンゲルを打とうが全てお金で計算されるようになった。「無償」が「有償」に転換されたのだ。

約三百万人の餓死者が発生したといわれる北朝鮮で、栄養失調は病気を誘発する深刻な問題として提起された。「栄養失調で病気に罹るのか。病気で栄養失調になるのか」は、先後を分けられないが、北朝鮮の経済状況から栄養失調を改善するのは焦眉の問題として今でも提起されている。

二〇〇〇年代初めの患者の実情を見れば、来院する全ての子供患者は共通して栄養失調が病の原因になっていた。夏には腸内性疾患、冬には呼吸器性疾病が大部分であった。だから抗生剤と水液療法（点滴）はもちろん、栄養を好転させることが大変重要な先次的問題になる。抗生剤は市場で買わねばならず、水液という〇・八五パーセント食塩水は塩から作り、五パーセントブドウ糖は市場で飴粉を買い「前下糖（ブドウ糖の前物質）」を作って点滴する。

子供の栄養失調を改善する最も優れた方法は輸血だ。だから当時の北朝鮮では、子供を生かすか殺すかは、輸血ができるか否かに掛かっていると言っても過言でなかった。

病院では予め、肉付きが良い娘の給血者を登録しておき、輸血するときは給血者に砂糖五百グラムと鶏卵、そしていくらかの現金を渡して呼んだ。

内科で輸血する日は、それこそ戦闘場だった。三百グラムの血液に抗凝固剤（レモン酸ソーダ）三十グラムを入れると三百三十グラムになる。これを三十グラムずつ十一人の子供患者に輸血する。子供の親たちは、輸血の代償として各々米、お金、餅などを義務的に持って来なければならない。そうでないと輸血を受けられない。輸血をする日は、医師と看護師にとっては祭日のようでもあった。

良心の呵責を受けないのは、いかに重篤な患者でも輸血後には目に生気が戻り、消えそうだった呼吸も穏やかに活気を取り戻すからだ。医療陣は、栄養を改善させて原因治療をすればいくらでも生かせるという確信を持ち、患者側は、お金で生かせることを体験しただろう。

北朝鮮が社会主義の優越性という「無償治療」は、真の意味で「有償治療」だということを示す現実だ。

「苦難の行軍」と餓死者

「苦難の行軍」とは、通常、北朝鮮が深刻な食糧難と経済難に苦しめられた一九九四年から一九九八年までの時期を言う

この時期、政府は人民にまったく食糧配給ができず、数多くの人々が飢えて死んだ。正確な餓死者数は誰にも分からない。アメリカの情報機関は約六十万人が餓死したと推測しているが、一般的には約百万人だと見られている。西側の一部マスコミは、三百万人になるだろうと報道した。これは正確な統計がないことを意味する。

北朝鮮は統計だけでなく国家の存在自体も世界のミステリーだ。労働新聞、朝鮮中央通信の報道する全てが偽りだ。だから「北朝鮮の言うことを反対に理解すれば、その実態が分かる」

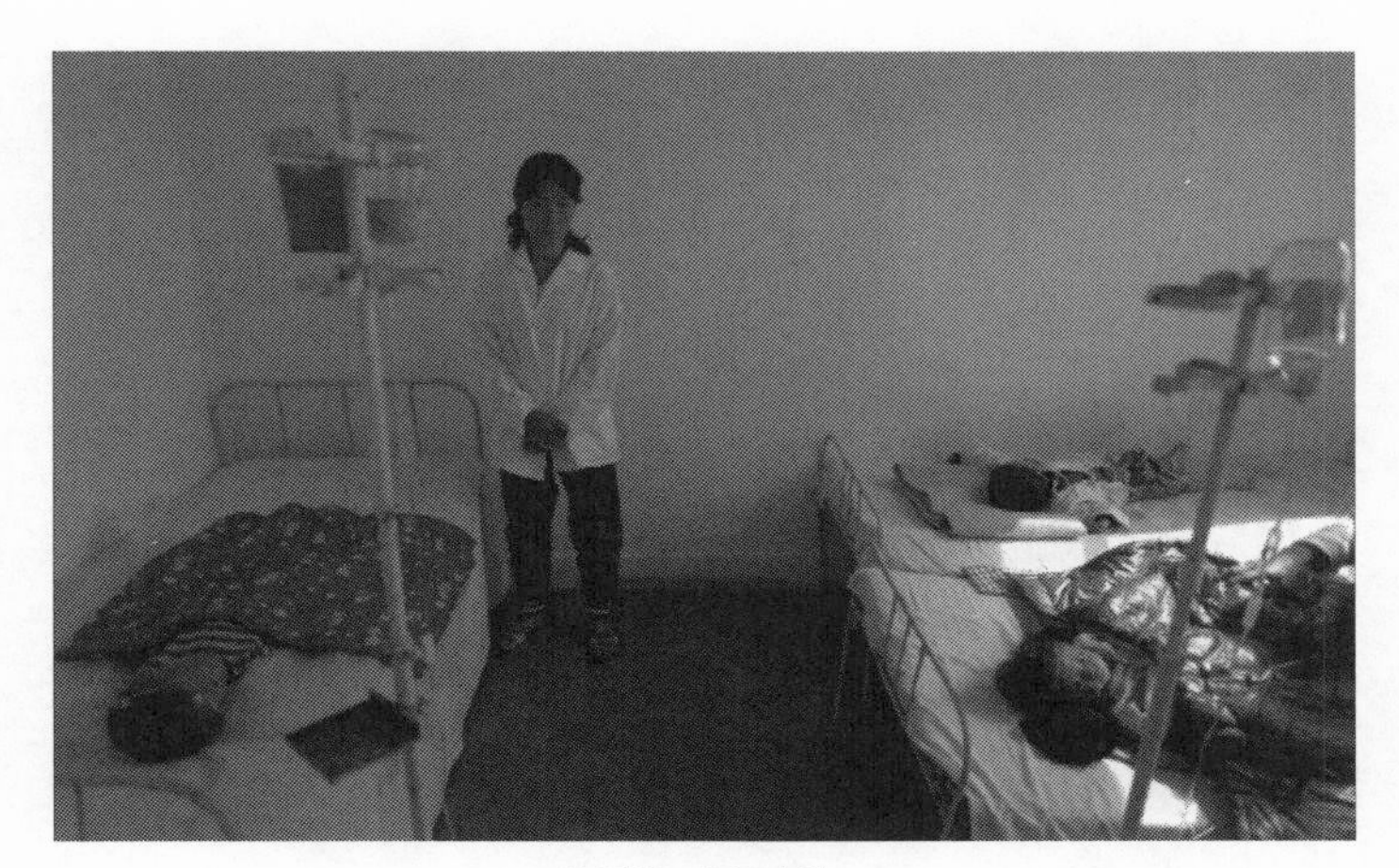

北朝鮮の小児病棟

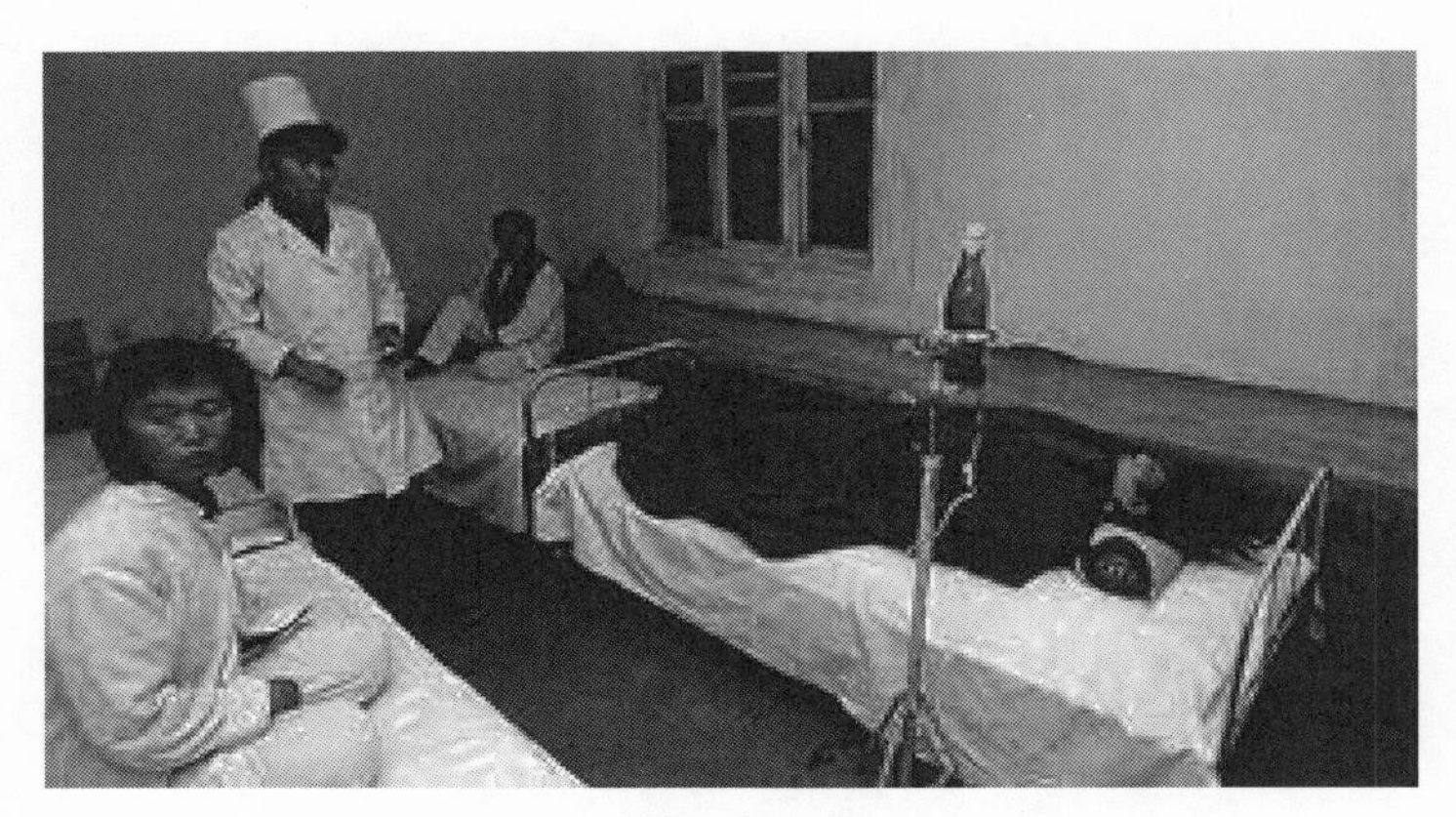

点滴はビール瓶

と言われる。

北朝鮮の為政者は、人民を後回しにして金氏一家の確実な王権樹立を最優先した。一九九四年、金日成死亡後に九億ドルを投入して「錦繍山記念宮殿」を作り、遺体をミイラにして永久保存したが、このとき最大見積で三百万人の人民が餓死した。

世界最高の金持ちである金氏王朝は世界一貧しい人民のために何もしないのに、韓国政府は北朝鮮に支援を惜しまなかった。

金氏王朝は奴隷主であり国民は奴隷に過ぎない。北朝鮮を支援することは金氏王朝という奴隷主にお金を与えて権力を持続させることだ。お金も米も国民に渡る方策を真摯に模索しなければならない。

病院は毎年、病気別統計を作成して市保健部、道保健部、保健省に報告する。保健省は報告を基にして病気発生現況と課題を把握して翌年の病気状況を推定している。

私が住んでいたH市の全人口は約十二万人であり、病院での年間子供死亡者数は約二百四十人だった。これは院内で死亡した数であり、院外で死亡した子供を含めればもっと多くの子供が死亡している。公表された正確な年令別統計があればいいが、北朝鮮では全ての統計は極秘である。市統計部と安全部の住民登録課に年令別人口統計と男女別人口統計資料の閲覧を依頼したが拒絶されたことがある。

さらに、「苦難の行軍」が始まると、それまで考えられなかった行方不明者と死亡未申告者、自由移動者の急増で人口統計調査が不可能になったと分かった。

「苦難の行軍」で、生き残るしぶとい欲求と意志が希薄になった人々は、「死」を黙々と受け入れるほかなかった。

栄養失調の子供に食事を与える看護師

女性は子供を産んでも家族のためにすぐ市場に出て食糧を入手しなければならず、死んだ子供を病院前に放置し、後で酒を一瓶持ってきて「死体を処理して下さい」の一言を残し、食糧を求めて去る例は数多かった。
こうした依頼を受けた病院では、変質する死体を放置できないので、そのまま裏山に埋葬することが多かった。そのため、病院の小さな裏山には、窪みごとに死体と骨がときたま見られた。
病院で治療を受けても死亡した患者が年に二百四十人ならば、病院にも来られずに死亡した例はどれ程になるのか。具合が悪くて病院にきて診療を受け、医師が診断を下せば薬は市場で買って治療を受けなければならない。一般的には自分で診断して市場で薬を購入し、自分で注射を打ち、薬を飲む。

病院で三日間に二人死んだとすれば、自宅で死亡した数は果たしてどれくらいになるのかは想像にお任せする。

当時は毎朝あちこちで餓死者を目にした。行政委員会は大量の死体を処理するため、職業辞典にもない「死体処理班」という職業を作った。これは世界史の一ページに残すべき事件だと思う。

北朝鮮の外来患者は、病気の末期に来院するのが特徴だ。患者の訴えだけ聞いてすぐに診断できるほど病気の典型的な症状発症期に来院する。しかし韓国では少しでも体が痛くても、少し体調が悪くても来院するので、精密検査なしでは早期診断が難しい。

北朝鮮で癌と確診されれば百パーセント死亡する。受診時には既に末期癌で他に転移しているためだ。しかし韓国では、すべての国民が年齢による定期検診が周期的に行われて、早期癌発見率が高いので癌の完治も容易だ。診断機器設備が劣った北朝鮮では医者の主観と経験による診断治療が基本なので、患者は臨床経験が多い年配の医者を好んで選ぶ。

小児治療での特徴は、夏には腸内性疾病が、冬には呼吸器性疾病が大多数を占めていた。しかし「苦難の行軍」以後、医療器具の不足と薬品不足、特に栄養失調のため軽度の気管支炎や単純性消化不良症でも死に至る。

腸内性疾病や呼吸器性疾病は敗血症を誘発し、結局、化膿性脳炎を引き起こし、完治後も障害を持って生きるか、あるいは死ぬかの岐路に置かれる。食糧事情が良くない北朝鮮では、変質した食物や離乳食を摂取した場合の単純性下痢、単純性消化不良症には消化剤服用とリンゲル点滴が基本治療になっているが、その効果なく二、三日経過するだけで中毒性消化不良症になる。この状態が三日も続けば、ほとんど全ての患者は敗血症と化膿性脳炎を合併して死亡する。このようにして死亡した数が年に二百四十人なのだ。

国の経済破綻で、順天と新義州製薬工場をはじめとする全国の製薬工場で薬品生産が中断された状態で、病院に供給できずにいる。しかし、闇市場では多く売られている。そのため民間では「診断は病院で、治療は市場で」という言葉が公然と通用している。

この「市場治療」で時おり医療事故が発生するが、それに対して誰も責任を負えない状況にある。こうした状況を作り出して放置している国家、独裁者が責任を負わなければならない。

ユニセフ検閲員を煙に巻く外交政策

「苦難の行軍」が始まり、二〇〇〇年に世界食糧機構からも多くの支援があった。北朝鮮の餓死者数は最小でも数十万人から最大三百万人までの推定値が出ている。

大韓民国の発表数値、国連と日本の発表数値も異なる。それぞれの政治的利害関係によって異なるようだ。しかし、北朝鮮当局は今まで正確な数値を明らかにしたことがない。

この大飢饉と餓死防止支援対策として世界の様々な機構は、北朝鮮に多量な無償食糧支援を行った。その一方では、ミサイル発射と核開発に関して、世界から大きな憂慮の声があがっていた。国民が飢餓状態に置かれているのにもかかわらず、支援した食糧は、継続して軍に流れているのではないか、という理由で支援した側は「透明性ある食糧配分」を促し、追跡調査を強化した。

ユニセフも私が院長をしていた病院に牛乳、エンドウ豆、栄養粉、牛肉などの食糧支援を何年も継続してくれた。しかし、いつ、どこから、どれくらいの援助を受けたかという詳細は病院長だった私自身も具体的に知らなかった。ただ書類だけでチェックするのが私たちの任務であった。

二〇〇二年だったと記憶している。市の糧政課からユニセフ支援物資の検閲があるというので経理課長が呼び出されて行った。援助の詳細を知らなかった私たちは驚いた。糧政課の書類では、数十トンにもなるエンドウ豆と栄養粉の支援を私たちの病院が受領したことになっていた。

約百人の患者が三カ月間消費したので現在いくら残っているという入出庫・残高の書類を急

いで作成することになった。経理課長は書類準備、院長の私は病院の清掃をして国連調査団を迎える準備をした。糧政課は配給所に保有していた少量の支援品を急いで病院の倉庫に運び込んだ。この日を予想して支援物資の一部を配給所倉庫に置いていたようだ。

この日の事業は、国連の支援事業に関した一級行事であった。市の糧政課長が病院に来た。

「院長先生！　ご苦労様です」

「あー、こんにちわ。ところで私たちが援助食糧を数十トンも受領したことになっているので、今になって消費の整理をしろと言うのですか？」

「これは対外事業部がすることであり、党委員会の指示なので、私もどうしようもありません。指示のままにしてください」

彼は経理課長を呼んで昼食準備を指示し、内科長に「入院患者を作れ」と指示した。患者を作る？　患者を治療して治せという話は聞くが、患者を作るというのは初めて聞く話だ。

患者を作るとは、十数人しかいない患者が数十トンの食糧を消費したと言えば嘘になるので、患者数を水増ししろということだ。近くの幼稚園から園児二、三十人を連れて来て、ベッドに一人ずつ座らせて置いた。

午前十時頃、モデルのようにスマートで黄色い髪を長く伸ばした四十代のカナダ人女性がユニセフ支援物資の検閲に来た。

院長室に案内して、日本製コーヒーとリンゴや菓子を出した。私たちはこの行事に、重大な政治的問題として臨んだ。

政治的問題とは、間違えば反党的犯罪として追及されることを意味する。私は病院責任者として国連の検閲代表を迎え、入院患者の食事状況と病気別入院状況を説明し、経理課長は支援品消費状況を帳簿で説明した。私はこのとき、記録上では数十トンの救援品を一カ月前に受領したことになっており、消費量と残高も操作されていたことを知った。糧政課長は知らぬふりをしているのが申し訳ないと思ったのか、真剣で静かな声で私に話しかけた。

「国連や各所から受けた全ての支援物資は、九十パーセントを軍に納めなければならないのが党の方針です。その中の十パーセントは党委員会と被殺者家族など暮らしの面倒を見なければならない対象に供給しなければなりません。私たちも、軍のどこへ回るのかは知りません。分かって下さい」

党のすることは知ろうともせず、知っていても言ってはならないのが北朝鮮で生きる人々の常識だ。

行事参加者の保衛員は、検閲員や私たち実務者を監視し、病院秘書もやはり党の路線通りに外国人と接しているか否かを監視している。

彼らは、行事終了後すぐに党委員会に進行状況と参加者の思想動向を六原則によって報告しなければならない。

外交部員は、ユニセフの検閲官を案内して全般的な行事進行を主導して外交部に報告するために参加している。病院長と経理課長の他には監視と統制、党に報告するために付いて回る人々がいた。

検閲員は病室で偽装患者の写真を撮り、調理場で栄養粉を使った食事準備をしている写真を撮る。次に倉庫で、昨日運んできたエンドウ豆と栄養粉の入った袋を写真に撮る。これで満足した笑みを浮かべ「グッバイ」と手を振って平壌に戻って行った。

おそらく役者のような私たちの姿を撮った写真は、平壌を経て国連のユニセフ本部に伝えられたのだろう。

支援品は次の年にも入ってきた。アフリカのアンゴラ出身のユニセフ検閲員が、前年と全く同じ経路を踏んで写真を撮って帰った。

二〇〇三年頃、正式な外交関係がないまま英国代理大使が一万ドルで私たちの病院にリハビリ治療室を設ける契約をした。また、多様な形態で様々な国際団体が支援をしてくれた。支援を受ければ病院だけでなく個人的にも多くの助けになった。

幹部の間では、受け取った支援の六十パーセントは上級の為に使え、そうしなければ直ちに幹部職を解任されるという話が公になっていた。一万ドルの支援が入れば六千ドルは幹部に仕えるために使えという意味だ。

東洋人に比べて逞しい体格で、毛深い顔に笑みをたたえた英国代理大使は、病院の実情や支援についてどう考えているのだろう。彼は、具体的に何を支援したら良いかを知りたがっていた。

外交部員に同行した案内員は自分の気の向くままに通訳していた。そして私に、「外国人を相手にするときの党の外交政術策は、現場を見せるにしても『霧がかかった』ように『蚊帳を張った』ようにぼやかして見せるということです。そしてより多く、もっと大きく取れということです」と、外交術を説明した。

ユニセフから派遣されたカナダ人検閲員もアンゴラ人検閲員も、国連が支援した食糧がいつ、誰が、どのように消費しているのか具体的に把握できないまま、霧の中を散策して「騙された写真」を撮って帰った。英国代理大使も実状を明確に把握できずに霧の中を散策して帰った。これが北朝鮮の外交政策の一環だということを知らねばならない。

第九章　脱北決意

ＫＢＳ社会教育放送

閉鎖社会で生きるのは暗闇で生きることを意味する。こうした暗黒社会は複雑で混乱しており、開放された社会で生きるよりも単純に生きられる長所もあるようだ。反対に、暗黒のベールに包まれた北朝鮮社会で暮らしていると、知り得ない外部世界を見たい、知りたい欲求も大きくなる。

こうした欲求を満たしてくれるのは、北朝鮮で禁止されている外国放送、日本や韓国のドラマビデオ、小説であり、祖国訪問団で北朝鮮に来た親戚が話す秘密のような話だ。

ピー、ピー、ザーザー。

「ＫＢＳ社会教育放送です」

夜十一時からは特によく聞こえる韓国の放送だ。

家はアパートの八階なので、電波をよく受信できるはずだが雑音が多くてよく聞こえないときもある。そんなときはアンテナに細いコイルを繋いで長く伸ばして雑音なく電波をよく受信かった。

できる所を探した。そのうちにベランダの洗濯紐にアンテナを掛けるとよく聞こえるのが分かった。

アンテナ線を繋いだまま部屋に入り、布団を被ってイヤホンを耳にさす。

「江陵で北朝鮮の潜水艦が座礁し、十一名が射殺され、残りは北朝鮮に……」

人民軍の潜水艦が座礁して十一名が射殺されたという内容と、やわらかく甘美なアナウンサーの相反した声は耳をくすぐった。江陵沖で座礁した北朝鮮小型潜水艦が発見され、韓国軍と警察が掃討作戦を広げた結果、武装スパイ一人を生け捕りにし、十三人を射殺して残りの北朝鮮偵察局隊員は北上した、というニュースが流れて来た。続いて、文殊蘭の魅力的な『男は女を煩わす』という魅力的な歌を聞いて自然に眠りについた。

私は、毎週土曜日は韓国の放送を聞く時間にして、徹夜して外部世界の動きを知ろうとした。これで一九八三年のアウンサン廟爆破事件、一九八七年の大韓航空機爆破事件、旧ソ連の崩壊をはじめ、金氏一家の黒幕をしっかりと知る契機になった。

不思議なことに、深夜の韓国放送で聞いた内容が翌日には職場や市場で人々が行き交いながらささやかれていた。

「江陵で我々の潜水艦が座礁したんだって。そして十一人も勇敢に自殺したって……」

「そう。信じられるか?」

「市場で商売人が話しているのを聞いたんだ」

このように、噂は数百人が行き交う市場で聞いたことにすれば、噂の源をたどれなくなる。しかし、私が昨日聞いた韓国の放送内容とまったく同じだというのは、誰かが同じ放送を聞いて流したということだ。

この他にも、黄長燁(ファンジャンヨプ)氏の亡命、イ・ウンピョン氏のミグ戦闘機脱北、日本人拉致被害者問題、金正日の喜び組、光州事態など、多くの真実を知るようになった。これは私の脱北をさらに強く後押しする原動力になった。

母の願い

日が経つにつれて自由を渇望する思いが募っていった。静かな夜一人になると、今までの苦痛とこれから想定される不幸、そして自由と人権について渇望が膨らんだ。

私は、自由とは思ったままに生きること、人権とは人間らしく生きることだ、とだけ知っていた。

主体思想と党の唯一思想、金日成の革命活動はテレビのスイッチを入れればいつでも出てくる。これが国民の自由と人権に反する思想だと知った瞬間から、北朝鮮は私が居る場所でなくなった。私は家族に、いつかは必ず脱北すると口にするようになった。それを聞いていた長男は、脱北して捕まれば反逆者の家庭になるのではないかと心配していた。

九〇年に入り、母の体力と気力は目に見えて衰えていった。苦難の行軍の影響だろうが、七十歳の峠を越えた母は両膝に手を付かないと立ち上がれなくなった。ある日、母は私を呼んで座らせた。

「テギョン、もしチャンスがあれば日本に行きなさい」

準備していたように一気に話した。

それまでは、

「絶対に日本に行くなど考えないで。考えるだけで収容所行きだよ。そして、家族全員が死ぬことになる」と、いつも心配してため息をついていた母だった。

あっけにとられた私は、

「なぜですか?」と、聞き返した。

歳月の流れは隠せず、皺だらけの口をもぐもぐさせて、

「いや、ただ……、行けるならばの話」と言って、それ以上の話を避けた。

若い時の母はすごい美人だったそうだ。父は母にほれ込んで、いつも母を理解して合わせる婦唱夫随の夫婦だった。仕事でも母の選択が正確だったので、母の主張が優勢だった。このよ

うな母が、今日は控えめに、行けるならば日本に行きなさいと言う。北朝鮮に暮らす親としては容易な決心でないと思った。

当時、脱北者が増えて北朝鮮の独裁が強化され、粛清と銃殺が全国的に増えて人民の生活は一層困難になり始めた。全国の人民から活気が失せ、不満と不平が少しずつ吹き出し始めた。不平不満が高まり、銃殺と弾圧がそれを抑え込むほどに強化された。これに比例して脱北者がさらに増加した。

その夜、私は母の人生を振り返ってみた。

母は、韓国慶尚北道慶州で生まれて二十年暮らした。その後、父について日本に渡って二十三年間暮らし、一九六〇年に北送されて三十余年間北朝鮮で暮らしてきた。三カ国を浮き草のように移り住んだが、北朝鮮での暮らしは窓のない監獄生活のようであった。

「北送の選択で自身と家族の人生を破滅させてしまった」という死んでも死にきれない後悔の末に、遺言のように私に語ったのだろう。日本に残っていたならどんな人生になったかを思いながら、独裁と粛清と弾圧に抗えずに順応して暮らすしかなかった三十余年の歳月がどれほど空しかっただろうか。もし、「再び下関での生活に戻れるならば命も喜んで差し出そう」というのが母の本心であっただろう。三カ国を巡って一番幸せだった時期を忘れられず、「もし行けるならば日本に行きなさい」というのが、母が私に残した人生総括の最後の言葉だったのだろう。

　私は、生死を越えた脱北の際、母のこの言葉が力になった。

二十六年間待った機会

　私は長い前から、金氏一家の全体主義体制を合理化するために作られた「党の唯一思想体系確立の十大原則」と金父子偶像化教育に不満を持っていた。

　日本から訪問に来た親戚がもたらす新しい情報は、自由と民主主義の重要性を再確認させてくれた。

　これは私だけでなく、全ての北送同胞が体験した葛藤であり精神的苦痛だろう。自由を求めてこの十数年間、数多くの北送在日同胞が鴨緑江や豆満江を渡り、軍事境界線の鉄条網を突き抜け、船で海に出るなど多様な方法で脱北を試みた。しかし、成功は少数で、多くの人々は死んだり政治犯収容所に送られたりして生死不明になった。

　私は、苦難の行軍で餓死者が出る前の一九八〇年から脱北を夢見ていた。無二の親友であり同じ北送在日同胞のユンソンが脱北を試みて捕まり、政治犯収容所に引きずられて行くのを見て、私もいつかは、独裁と制裁で奴隷として飼い慣らされる北朝鮮から脱出しなければならないと考えていた。

こうして息を殺して脱北の機会を窺っていたが、いつのまにか二十六年が過ぎた。機会は飛ぶ鳥と同じで、準備できた人だけに訪れるという。しかし私にはそのような機会が簡単に訪れず、流れる歳月と身体の老化は私を待たせてくれなかった。

「行こう。機会を待つだけでなく機会を作ろう」

私は友達の脱北経験と軍隊時期に習った地図の読み方を基にして脱北を決心した。

脱北を決心して十六歳の息子に聞いた。

「日本は私の故郷なので自由民主主義国家だとよく知っている。韓国も大統領に悪口を言えるし、反政府集会もできるほどの自由な民主国家だと知っている。だから日本だろうが韓国だろうが、自由と希望を探して脱北しよう。しかし、非常に危険で命を失うこともある。お前はどうする？」

高等中学校を卒業しても就職できなかった息子は、驚いてしばらく考え、

「父さん、ここで生きるより脱北して死ぬ方がもっと良いです。行きましょう。自由を探し、希望を探しに行きましょう」

十六歳にしては大胆な返事だった。確かに、韓国ドラマやビデオやＩＴに接して生きている新世代は違った。北朝鮮の独裁と弾圧に相応した国民の反抗と反発が乱舞する北朝鮮で生きる

子供たちには、ただ忠誠があらゆることを解決した六、七〇年代の私たちとはあまりにも違った。

命を失うかも知れない覚悟がなければ準備さえできない脱北に即応してくれた息子がとても有難かったが、行先さえ告げられずに離れなければならない妻と娘には非常に心が痛んだ。生死が懸かる危険な道を「早く行きなさい」と送る妻と娘はこの世にいないだろう。「金儲けに恵山に行く」と嘘をついて離れなければならず、また、私たちが去った後、妻と娘に加えられるかも知れない圧迫を考えると本当に申し訳なく心が痛んだ。

後で知った事だが、娘はアコーディオンやギターの才能があって宣伝隊に入ることになっていたが、やはり成分が全てを決める北朝鮮で「父が行方不明」のために宣伝隊に入れなかったという。

離れる数カ月前、姉と次兄に脱北の決心を打ち明けた。

「テギョン、危険な道を早く行けとは言えない。しかし止めはしない。私がもう少し若かったら私も行きたい道だ。だから、気を付けろ。お願いがある。失敗すればお前はもちろん、我が家の全員が反逆者の家族になる。だから熟慮してまた気を付けて良い世界に行きなさい。必ず成功して、生きている連絡をくれよ」

これが、弟を思ってくれた姉と次兄が掛けてくれた最後の言葉だった。

韓国に定着した六年の間に次兄は胃癌で、姉は脳出血で亡くなった。

これ以上、脱北の機会を待つことも先送りもできない五十五歳。待ち受ける苦難を全く予測できないまま脱北実行の決心を固めた。

私の脱北計画は簡単だった。恵山(ヘサン)に行って鴨緑江を渡った後、延吉(ヨンギル)に行って教会の助けを受けて日本へ行くことだった。この簡単な計画を実現に移すまでに二十六年の時がかかった。

第十章　自由を探して彷徨う二カ月間

鴨緑江を渡る

二〇〇六年九月、息子と私は恵山市場で脱北に必要な物を購入した。五日間の食糧としてパンと粉ミルク、宿営できる四メートル四方のビニールハウス、自殺・防御用ナイフ二本、羅針盤一個、中国製ジーンズと靴、双眼鏡などを買った。

大まかな計算では、時速四キロで一日八時間夜間行軍すれば五日で内陸に到着するはずだった。内陸ならば確実に敵がいない。捕まれば死ぬ北朝鮮という巨大な悪魔の恐怖地域から遠く、遠くに離れた所が目的地であった。

正午に普天郡樺田里（ポチョングンファジョンリ）に到着した私たちは、大通りから鉄道線路に降りて北朝鮮での最後の弁当を食べた。再び食べられない朝鮮米の飯の上にタマネギと豚肉の炒め物が載っていた。

突然喉が詰まった。カビ臭く黒い米だったが、四十五年余の間私の生命を維持してくれた米だ。再び食べなくても済む金父子の米、独裁の地で育った米、黒くて臭う米だ。

途中で食べるのがいやになった。通り過がりのコッチェビ（浮浪児）が食べられるように、食べ残しをきれいにまとめて弁当箱を線路上に置いて周囲を見回した。十歳くらいの三、四人の子供たちが川縁に沿って歩いて来るのが見えた。

岸の高みには左右五十メートルほどの位置に哨所が一つずつ見えた。七年間軍隊生活をした私は哨所と哨所兵の行動をよく知っている。きっと彼らは十二時に交代し、一時間後には飽き飽きして、哨所で寝てしまうだろう。「灯台下暗し」という。成功率は、昼間に哨所の真下を堂々と歩いて行く方が高い。

線路から川縁に降りて行った。マラソンならばスタート地点であり、やっとその場に立った気持ちだった。幸いなことに目につく人はいなかった。息子はリュックサックを背負い、私はカバンを持った。

十メートル下には鴨緑江がある。朝鮮の川でも中国の川でもない国境の川が三、四十メートルの幅で流れていた。急に誰かが来て首筋を掴んで引っ張るような気がして首の後が熱く、心臓がドキドキした。ある歌手が「幕が上がる前が一番震える」と話していたのを思い出した。しかし出発点に立った今は引き返せない。幸いにも人の気配はなかった。

「さあ、準備できたか。イチ、ニ、サン」

息子と私は同時に水に飛び込んだ。他の人には聞こえないだろうザブンという水音が、私の耳にはとても大きく聞こえた。そのとき、後から人の叫び声が聞こえた。

「ウワー、ウワー、ウワー！　逃げるぞ。捕まえろ！」

反射的に振り返ると、少し前に私たちの前を通り過ぎて行った子供たちが大声を出していた。心臓が飛び出すようだった。

「あの声を警備員が聞いて銃を持って走って来たらどうしようか」

速く遠くへ走ろうと焦るが、足がギブスを着けたように固まって動けなかった。川の水は膝上もなかったが、水の上に頭だけ出して前に倒れてしまった。それでも頭の中では「行くんだ、速く、速く」と叫んでいた。

起きあがって見ると、息子はすでに川をほとんど渡っていた。この時、私の心情は世界陸上選手権大会の決勝に進出した短距離選手に勝るとも劣らなかっただろう。金メダルか死かの差だ。悠々と流れる鴨緑江に膝まで浸してもがいた。

「ワァー」という子供たちの声を警備兵は聞いたのだろうが、まだ影も見えなかった。

中国側の川岸に上がると、川向にいる三人の子供たちが私たちを見て、駆け足の決勝戦でテープを切った選手を祝うように手を振っていた。

三五～四十メートルの距離に二十五秒しか掛からない短い川越えだったが、心臓を締め付ける緊張感は言葉で表現できない。

朝中国境の川を渡った私たちは、いよいよ中国の地に足を踏み入れた。北朝鮮から出て中国の地を一歩踏んだだけで、すでに金正日の独裁から抜け出したようで気分が良かった。

あらかた水気を切って再び走った。しばらく走ると砂利敷きをしている中年の中国人男が見えた。むこうは一人、こちらは二人なので少し安心した。

彼はどれほど多くの脱北者を見たのだろうか、濡れネズミ姿であたふたと走る私たちを見ても、何もなかったように黙々と作業を続けていた。


私たちはとにかく人がいない山へ向かった。山の中腹に上がると、錆びた鉄の塊を喉にぶら下げたかのように激しい渇きと共に金臭い臭いが喉にあふれた。

地面に座り込んだ私は喘息患者のように咳をした。振り返ると誰も私たちに付いて来ていなかった。そのとき初めてドッキン、ドッキンする心臓の音を全身で感じた。

「オイ、ゆっくり行こう。付いてくる人がいないようだ」と息子に話し、一息入れて頂上へ向かって歩いた。

山頂に登ると、四方が明るく開けた空間から吹く寒風が両頬を射した。たった今通って来た小道と禿山が地図模型のように見えた。

最も危険な峠を越した気がしたが、「果たして今回の脱北は後悔しないで済むだろうか」という疑問が涌いた。思わず「ヒュー」と深い息をすると、にわかに涙が出た。

独裁の地を抜け出して自由の地を踏んだ達成感と、四十六年間の金氏王朝の支配による奴隷生活、脱北決心後からの二十六年が何だったのか思い出して涙が出た。

無二の親友ユンソンがあれ程願って果たせなかった脱北を、たった二十分ほどの短い時間で成し遂げたと思うと、馬鹿のように暮らしてきた日々が限りなく虚しかった。生まれ育った故郷でもなく、恐怖と抑圧の中で生きるしかなかった悪い思いの地であったが、それも縁なのか。暗黒の地、人間として生きられない地を離れたので、ほっとする一方で何か寂しくもあった。

「まず、安全なここで服を乾かしてから進もう。今夜からは行軍だ」

雑草が茂る草むらでズボンを脱ぎ、木の枝に掛けながら息子に話した。

私は夜の行軍を考えて、酷くだるくなった脚を揉んだ。息子は近くで長く丈夫な木を折って、上が尖った杖を作った。

「オイ、片側をなぜ尖らせたんだ。転んだら危ないだろうに……」

ナイフで丁寧に枝を整えた息子は、笑いながら答えた。

「疲れたら杖として使い、誰かが捕まえようと近づいてきたら槍として使うつもりです」

たとえ十六歳でも、立派に生死を覚悟していたのだ。

失敗は「死」だ

鴨緑江を渡った私たちは、茂みをかき分けながら十時間休みもせずに、ただただ歩き続けた。そしてテントを張って休息した。

通り過ぎた道を思い出し、行かねばならない道を想像している間に、いつしか眠り込んでしまった。

霜が降りて東から明るみ始め、周囲がかすかに見えてある程度周りの状況を把握できるようになると、私たちは急いでリュックサックを取りまとめた。露でぐっしょり濡れた枯れ枝は、昨日の夕方のような乾いた音ではなかった。

「さあ、早くここから抜け出そう」

息子を催促して、私たちは振り返りもせず出発した。

途中で谷川を探し、粉ミルクとパンで簡単に食事をした。川を越える時に羅針盤が壊れてしまったので、独立木の枝を観察して北の方向を確かめて行軍した。棘の藪が散在している険しい山道を迂回もせず、むやみに北西方向に歩みを進めた。

山頂の平らなジャガイモ畑で、青年がピョンピョンと馬のように飛び出して大声でわめきたてた。この声を聞いて近くで農作業をしていた何人かが走り出て来た。

「走れ！」

息子の大声を聞き、雑草が生い茂る草藪をかき分けて走った。森を過ぎ、山の下へ滑り台を滑るように降りて行き、二つの山を一気に越えた。

かなり来たと思われたとき、山の間に遠く曲がりくねった川が見えた。そして川の向かい側には何軒かの家が見えた。

「探していた川が現れた。あそこに行こう。道がありそうだな……」

予想外にことがうまく進んでいると思った。ところが息子は下を見下ろして言った。

「父さん、あそこは朝鮮ではないですか。あそこを見てください。禿山と倒れかけたあの家」

川に降りる足を止めてよく見ると、川向にある山は全く木が無い禿山だった。こちら側は山林が前を塞ぐほどなのに、川向こうは丸裸になった山に赤く染まった狭い畑が皮膚病に罹って毛が抜けた子犬の背中のように見えた。瞬間にして全身の力が抜けた。

危うく、脱北どころではなく北朝鮮に戻ってしまうところだった。

「一瞬の間違いが二人の人生を亡ぼす。気を付けなければ！」

と気を引き締めた。

再び反対方向に行軍した。しばらく歩くと自動車の音がこだまして聞こえてきた。山が山を塞ぎ、樹木が鬱蒼と茂る深く静かな山では、音が確かな方向盤であった。

樹林の谷間を歩いて行くと川が現れ、その上に見える道にはたまに自動車が通っていた。とてものどかで、ひとまずここで休んで夜を待つことにした。

五十センチほどの枝を正方形に四隅に打ち込み、ビニールの薄膜を被せ、カバンを枕にして横になった。

炸裂しそうな胸を押さえつけて鴨緑江を渡り、中国では人を避け、もし北朝鮮から来た泥棒だと追いかけられたら逃げなければならない。

人生の無情さが走馬灯のように目の前を過ぎる。ひとまず休む所を作っておいて横になると過ぎたことが夢のようだった。

二百キロの長い行軍を控え、あらゆる状況に対処する方法を考えながら陰気な北方の初秋を一日過ごした。


私が脱北成功後に会った人の中には「なぜ、川を渡ってすぐに中国人に助けを乞わなかったのか」と尋ねる人が多かったが、その理由は簡単だ。

中国側の鴨緑江辺に住んでいる朝鮮族は、脱北者が少なかった初期には北朝鮮の人々を受け入れて助けてくれたそうだ。飢えと抑圧で苦しむ北朝鮮の同民族に対する深い憐憫の情で、川を渡り脱北して来た人々を匿って食べさせ、衣服を着せて北に送ってくれたという。ところが、脱北者が増えるとその一部の人が帰りの道すがらロバやお金を盗み、さらには殺人まで犯したという噂が広がり、今は、一面識もない脱北者を見れば公安に申告するように変わってしまった、という話を聞いていたからだ。

息子と私は内陸に入って教会の助けを受けブローカーを探すという、危険だが見方によっては最も安全な夜間行軍を選んだ。

鎖骨を骨折

九月末、中国東北部の山間部は涼しいというより冷たい風が、谷間に沿って落葉と共に吹いていた。

目覚めると、ビニール薄膜で作った簡易テントの窪みから水滴が顔に落ちてきた。床から昇る温気と私たちの息が冷やされて水滴になったのだろう。

鴨緑江で倒れて時計と羅針盤は故障してしまったので、時間も方向も自然任せだ。陽が昇れば朝で、陽が沈めば夕方だ。道に沿って上がれば北で降りて行けば南だ。

「チョルや、さあ行こう。疲れているのか?」

息子の体力と気力を打診した。

幸いにも伸びをしてリュックサックをまとめる息子は、まだ活気あふれているようだ。再びパン二切れで行軍に必要なエネルギーを補充した。三日連続してパンと粉ミルクなので、鴨緑江を渡る直前に「コッチェビ（浮浪児）が食べるだろう」と、線路の上に置いてきた最後の弁当が思い出された。

心残りをなだめて再び出発した。今日はまるで私たちがコッチェビになったようだった。闇が押し寄せ、私たちは大きな道へ上った。

大小の木々が前を塞ぎ、枯れ葉が膝まで積もった山中行軍を続けていたので、久しぶりに道路を歩いて速度が上がった。

左側は道路を作るために山を削った崖で、右側の森の下方では川の水が怒号を立てて流れていた。そのとき、明るく照らされた建物が見えた。その照明はどれほど強いのか、遠くから見るとまるで燃えているようだった。

そのとき、恵山（ヘサン）で会った人から「中国内陸に入るには三カ所の検問所を過ぎなければならない」と、聞いたのを思い出した。

「チョル、これが最初の検問所のようだ。下の川を回って最大限安全に行こう」

「ハイ、そうしましょう」

話し終えるやいなや息子は右側の棘薮に分け入り始めた。運よく、ゴウゴウと流れる川音が、私たちの立てる枝を折る音と足音を飲み込んだ。水溜りに落ち、石に滑って近くの棘の枝をつかんだ。手のひらにトゲが刺さっても痛みを感じなかった。

川幅が広くなった。大きな滝の音も聞こえた。何とかして前を探ってみると、川は大きなダムで塞がれており、これ以上の前進が不可能だった。方向を変えて左側の道に登ると、堤防の上に大きな建物が一棟見えた。よく見ると、小さな水力発電所であった。そのとき、遠くから人の気配を感じたのか犬がワンワン吠えたてたが、騒がしい水音が飲み込んでしまった。

「ふー、まったく」

「スッポンを見て驚く者は釜の蓋を見ても驚く（蛇に噛まれて朽ち縄に怖ず）」と言うが、脱北成功と安全を最優先したので過敏反応したようだ。これも経験だと、明るい灯の下を歩いて行ったが、誰かが尾行していないかと内心焦っていた。特に検問所のようにサーチライトがあると、「飛び掛かって来ればただではおかない」と覚悟した。

明るい灯を過ぎた後は、誰かが私の襟首を罠で縛ったように髪の毛が逆立った。しばらくして、やっと「ホッ」とため息が出た。

何でもないことで二時間遅れた。予期せずに遅れた距離を挽回しようと歩みを早めた。すると突然息子が「父さん隠れて、車が来る」と言って左側の絶壁を登って小さな木陰に体を隠した。「ブルン、ブルン」という車の音とともに、突然、前が明るくなった。私も息子の後について絶壁の上に這い上がった。きわどく車をやりすごし、再び道に降りる途中に杖が滑って転がり落ちた。

そのまま転がり落ちれば頭がバラバラに割れるところだった。瞬間的に首を左に曲げながら右の肩で転がり落ちた。本能的にとった行動だったが、首の左側から「ぷつん」と音がしてズキズキ痛み始めた。鎖骨が折れたようだった。痛む箇所を押すと軋轢音（押したとき骨折した部位から出る音）がした。

息子が駆け寄って起こしてくれたが、どう処置したらいいのか分からなかった。

「大丈夫ですか。どうです。歩けますか」

行くべき道はまだ遠いのに、ここでこんな事故に遭うとはと腹が立った。「首が折れ、骨が砕けても、必ず行く」という思いと共に、ズキズキ痛む中でも意地が出た。

「ウン、我慢できる、我慢しなくては。死んでも行かないと」

弱気を見せれば息子も弱気になる。必ず脱北に成功しなければならない。成功、成功、成功させる思いしかなかった。

このときから荷物は息子が担い、夜間だけ北へ北へと歩いた。

金日成の顔を踏みつける

四泊五日間、暗く鬱陶しい山中を歩き続けた。

鳥がしきりになく声と山頂から吹き降ろす冷風の音が美しい調和を作り出した。脱北でなければ、平和な一幅の東洋画だ。遠くから小さい音楽の音が聞こえた。かなり距離があるようだったが、まだ人に会うのが恐ろしかった。

「今までは行軍だけすれば良かったが、これからは人に会わなければならない。彼らを通じてブローカーを探さなければならない」

そう考えると、行軍という峠を越えてもブローカー探しという障壁がまた大変だなと思った。

私たちはぬかるみに足がはまる葦畑の中に入った。葦畑から出て靴を脱ぐと、足の裏はスルメを水でふやかしたようにパンパンに膨らんでおり、北朝鮮を出たあと一度も脱げなかった靴と足から不快な臭いがした。臭いを消そうといくら洗っても、浸み込んだ臭いは取れなかった。しかし、私たちには足の臭いを気にしている余裕はなかった。行かねばならない道がある。それも可能な限り早く。

日本製の格子縞の洋服とリュックサック、アメリカ製のベルト、中国製の靴。誰か見ても脱北者の身なりではなかった。金正日が好んで着るというジャンパーと残っていた朝鮮のお金百五十二ウォンは捨てた。

「北朝鮮で暮らした記念に持っていようか」とも一瞬考えたが、北朝鮮という汚物が私の体に絡みつくようなので未練なく捨てた。北朝鮮という虚像と四十六年間の悪夢から覚めたい思いで北朝鮮のお金をぬかるみに投げ捨て、足で踏みつけた。

百ウォン紙幣に描かれた「国際共産主義運動の卓越した指導者金日成」の顔を踏めた事実に驚いた。

金日成の肖像が印刷された100ウォン紙幣

大きな道に出ると木材を積んだトラックが走って来た。手を挙げて車を止め、素早く乗り込んで運転手に百中国元を差し出した。風体良く穏やかそうな印象の中国人だった。私は中国語は分からなかったが、「朝鮮人」「行」「親族」などの漢字を書いて運転手に見せ、世界共通語の身振り手振りで何とか疎通ができた。

朝鮮から親戚を訪ねて来たが、途中で住所を書いた物を失くしてしまい、「少し先に検問所があるので困っている」と何とか伝えた。

そして無理やり彼の手に百元紙幣を握らせたが落ちそうになった。瞬間、私たちの切実な願いも紙幣のように滑り落ちてしまうのではないかと思い、彼の手を私の手で強く包んだ。

彼は拒絶できないまま、私たちの身なりをしばらく見回すと決心でもしたように「少し待ちなさい」と言ってしばらくトラックを走らせて村で止めた。

彼はどこからか、大型バイクに乗って戻って来た。脱北者らしくない私たちの身なりを改めて確認すると、満足したように「乗れ」と目配せした。

村を少し出ると遮断棒が並んだ検問所が現れた。検問所の前でスピードを下げ、顔見知りのような公安に手挨拶をして通り過ぎた。しかし私は、誰かが後から襟首を捉まえてバイクから引きずり下ろすのではないかと背筋が寒くなった。

私たちは落ち着いた彼の背中の後ろに同乗して最後の検問所を通過し、松江河に着いた。別れ際に彼は、百元は多すぎると思ったのか、五十元札一枚を出して酒でも一杯飲めとジェスチャーをしながら私の手に無理やり握らせた。

恵山で千五百元を両替してから脱北したので、千四百五十元が残った。危険な検問所を無事に通過させてくれたのを思えば、まったく惜しくなかった。お金でもめることもないので「また必ずお会いします。有難うございました」と挨拶をして松江河の村に入った。

松江河に入った私たちは、最大限控えめに、謙虚に行動した。謙虚とは礼儀正しく控えめな行いをさすのだろうが、この時の謙虚とは、相手方から脱北者と認められて救援を得るための謙虚だった。

「私たち親子は朝鮮から来ました。ここに朝鮮族の人はいますか?」と聞いても、「プーシン、プーシン(分からない、分からない)」と言って通り過ぎて行った。

いつ朝鮮族に遭えるか分からないまま、あちこちの家を訪ね、村をほとんど回ったとき、六十代の小柄なお婆さんに遭った。朝鮮語が分かれば応えてくれるし、分からなければ「プーシン、プーシン」と言うだろう。

「おばあさん、私たちは朝鮮から来たのですが、水を一杯頂けませんか」

「ウン、朝鮮から来たって。どうやって来たんだい。まあ、入りなさい」

思いのほか喜んでくれる朝鮮族のお婆さんの暖かい手に引かれて部屋に入った。久しぶりに人情味あふれる水を飲んだので、全身が浮き上がる気分だった。

私たちは、親戚を探して北朝鮮から来たこと、脱北したいので助けてくれる人を探していることを一気に話した。

お婆さんは、区域の朝鮮族が集まる礼拝に参加しないといけないので、一緒に行こうと誘った。

連日十時間、不安な夜間行軍をして一度も休めなかった苦労と、鎖骨骨折の痛みが、朝鮮話が通じるというただ一つの理由でさっと消えたのが不思議だった。朝鮮語が通じるのがうれしかったし、同民族というのはこんなに有難いものだと新たに悟った。

「父さん、お金を差し上げれば」

息子もお婆さんに遭えたのがとてもうれしく、有難く、百元札一枚でも渡して感謝の気持ちを伝えるように促した。

ポケットから毛沢東の肖像が描かれた百元札を一枚取り出してお婆さんの手に握らせた。お婆さんは旅人を助けられないのに受け取ることはできない、とびっくりして飛び上がったが、私たちはどうしてもと、渡して思いを伝えた。こうでもしないと、自分が納得できなかったからだ。

お婆さんと一緒に五、六人の朝鮮族が集まっていた伝道師の家に行った。

私たち訪問の知らせを聞いた伝導師は、家の外に出て歓迎してくれた。

私は、日本でも韓国でも良いので行けるように助けてほしいと哀願した。伝道師は撫松(ムソン)教会で支援できそうなので、今夜にでも紹介してあげるといった。

食事を終えるとすぐに私たちを三輪バイクに乗せて撫松に出発した。今まで夜間行軍した道に比べるとずっと広くて楽な高速道路だった。

この道路にも検問所があった。私たちを連れて行った中年の男は、しばらく待てといって百メートルほど離れた所から検問所の様子を探った。脱北の危険は全て過ぎ、もう韓国に行くだけだと思ったが、また検問所だ。空が崩れるようだった。とっさに「お金はこうしたときに使うもので、ここで使わなければいつ使うのか」と思い、「素早くお金を渡して通過しよう」と言ったが、運転手はしばらく様子を窺うと検問所をそのままスッと通り過ぎた。危険千万な行動だと思った。後で知ったが、私が検問所だと思ったのは検問所でなく料金所だった。運転手は通行料を払わず通過できるチャンスを窺っていたのだ。

北朝鮮の道路には旅行者を取り締まって賄賂を取る哨所しかないので、料金所も恐ろしい哨所に見えたのだ。

撫松教会で、妻が布教師だという親切な長老に会った。私たちは再び、脱北動機と川を渡った後に体験したことを話し、韓国にいる親戚を探して行きたいので助けて欲しいと哀願した。話を聞き終えた長老は、しばらく前に肥料と食糧支援のために北朝鮮を訪問したときに聖書を見つけられ、宗教流布罪で監獄に収監されて数日前に釈放されて帰って来たばかりだと言い、「金正日は国民を獣のように思っているが、いつかは神様の罰を受けるだろう」と言って、長老様は鬱憤を晴らした。

「李先生は普通の脱北者と違いますね。北朝鮮で病院長をなされたせいか、日本が故郷のためか考えも違いますね。韓国に親戚もいるので上手く進むと信じます。私たちが支援できれば良いのですが、直接知っているブローカーはいませんし、北で捕まって帰って来たばかりなので、監視も多く……」

延吉に行けば朝鮮語が通じるから、そこでブローカーを探すのがずっと容易だと思うと言い、延吉行のバス乗車券と間食、そして二百元をくれた。

松江河と撫松には脱北者がほとんど足を踏み入れなかったのか、私たちは脱北者というより人としての接待を受けた。

教会で門前払いの日々

延吉に到着して最初に目に入ったのは、「경주여관（慶州旅館）」と大きくハングルで書かれた看板だった。他国でハングルを見るのは懐かしく、旅館の名前も両親の故郷である慶州なので感無量だった。しかし私は法の保護を受けられずに追われる身、感傷に浸っていられなかった。

旅館の看板を見た瞬間、韓国人が経営しているのか、少なくとも私のように慶州と縁がある人がいそうな気がして、嬉しい気持ちで慶州旅館に入った。中には二十代と見える男女がカウンターに座っていた。

一泊七十元の部屋を予約し、ブローカーの情報を得ようとカウンターの女性に話しかけた。

「あの、韓国人に会うにはどうすればいいですか?」

「はい、延吉医科大学に韓国からきた教授がいらっしゃいます」

目を細くして答えた。悪い人ではないようだ。こちらが率直に話さないと相手から率直な返事をもらえないと考え、私たち親子は脱北者だと話した。すると、

「あ、ちょっと勘違いしました。夫が帰って来たら聞いてみます」と、話を切った。

延吉の大通りに立つと「延吉は世界へ！」というスローガンが目に飛び込んできた。

北朝鮮では金父子と党、そして彼らの教示と関連したスローガンだけだが、川を越えた中国ではあまりにも違った。

翌朝、私たちは平壌大劇場を連想させる延吉教会を訪ねて行った。

私たちが到着した時は既に礼拝時間中だったので静かに一番後ろの席に座った。その日の説教は、リンカーンの偉大な業績は神様の意思だという内容だった。北朝鮮で首領の教示と党の方針だけ学習し、米帝を不倶戴天の敵、韓国は傀儡であると教えられていた私は、リンカーンが偉大だという

中国の教会

説教がなんとも不思議だった。

説教が終わった後、人々はホールで立ち話をしていた。その中で牧師を探した。障碍児らしい子供を抱えたお婆さんが、黒い正装で品があり白い膚の背の低い三十代半ばの男性を「伝導師様」と呼んで微笑みながら話している姿を見た。私は、二人の話が終わるのを待ち、他の人に伝導師と話す機会を奪われないように、素早く、そして一気に話した。

「一つお願いがあって来ました。私どもは朝鮮から来ました。韓国に行かなければならないので、私たちを少し助けて下さることはできませんか？」

「ここは脱北者を助ける所ではありません」

彼は、黒い頭を撫でながら直ちに拒絶した。あまりにも断固として冷静な彼の態度に、唖然とするほかなかった。

私は、鴨緑江を無事に渡って中国の内陸に入り、教会を訪ねて行きさえすれば日本でも韓国にでも行けると思っていた。ラジオで聞いていた話とはあまりにも違った。

「この教会は大きくて監視が多いからダメなのか。ならば他の教会を訪ねて行ってみよう」

そう考えて教会を出た。

信じて訪ねて行って拒否された事で落胆したが、公安に申告される可能性もあったと考え、市内から少し離れた教会に行った。私たちは牧師を探して話したが、そこでも私たちは同じ返答を聞くことになった。

「私たちは、中国で宣教活動をするために中国の法に従わなければなりません。私たちがあなたのような人を助けて脱北させれば、中国の法によって教会は門を閉じることになります。だから助けてあげることはできません」

「牧師様、もう一度お願いです。私たちには行く場がありません。必ず韓国に行けるように助けて下さい」

哀願すると牧師は、七十代と見える痩せた長老と話し、彼に付いて行くようにと言った。試験後に合格、不合格の判定を待つ学生のような気持ちで長老に付いて行った。静かな所に来ると、彼はしわしわの手で三十元を差し出し、

「さあ、これを持っては早く去りなさい」と言った。

「お金はいりません。韓国に行けるように助けてください」

生死の岐路に置かれた私たちは救いの手を失い、脱北の道が永遠に閉ざされるようで、縋り続けた。すると彼は、

「なぜ縋るのですか。お金が少ないからですか。もっと多く出せということですか。直ちに出て行きなさい。公安に捕まる前に、早く出て行きなさい」と睨み付けた。

まるで鬼が私たちを北朝鮮に強く押戻すようで恐ろしかった。それ以来、背が低く痩せて、

目が切れ上がり歯が黄色い人は鬼のように見える。

醜い北朝鮮の独裁体制でも、改革・開放された中国でも良い人と悪い人は共存する。これは教会でも同じだ。私たちは悪い人だけに遭ったようだ。

多くの脱北者が教会を通して韓国に行ったという話は、事実と異なると知った。その後いくつかの教会を訪ねたが、脱北者支援活動をしている教会は探せなかった。

私たちは方法を変えて韓国人に会うことにした。延吉医科大学病院に韓国人教授がいるという話を聞いていたので、訪ねて行った。私も医師なので、同じ仕事をする者同士で何かしら少しでも通じるものがありそうだと期待した。

まず診療の受付をして折れた鎖骨の診断を受けた。レントゲンを撮って診療を受けると手術が必要だという。障碍者になっても脱北を先送りできないので、治療は先送りして韓国人教授に会うことにした。

大学病院の案内板で韓国から来た耳鼻咽喉科の先生を探し出し、

「直ちに韓国に送る」という言葉を切実に期待して耳鼻咽喉科の診療室に入った。

「あのー、一つお願いしようと来ました」

両手を合わせて挨拶しながら切迫感を表した。

「はい、おっしゃってください。ここは静かでないですか?」

口の利き方はぞんざいだったが、それを問い質す状況ではなかった。

「私は北朝鮮から来て韓国に行こうと思っています。ここに来れば助けてもらえるというので来ました。どうか助けてください」

「私は、脱北者を助けに来たのではありません。治療をするために来た医師です。そんなことをすれば追放されます。申し訳ないが他を当たって下さい」

冷たく事務的な返事だった。私は絶壁と向き合うように感じた。こんな人に同胞愛を期待して助けを乞うのは無理だと思った。

「はい、では一つだけお願いします。私に会った事を誰にも話さないで下さい。さようなら」

私たちはこれ以上、助けてくれる人に遭う期待をしないことにした。どこへ行こうと私たちを受け入れてくれる所はない、という考えになった。

泊まっていた旅館の主人は、瀋陽に行けば韓国領事館もあり、韓国行きの直行飛行機便もあるので、そこがもっと良いのではないか、と言った。

よく調べもせず、その場で瀋陽行きバスに乗ることにした。バスに乗って十四時間、一瞬も緊張を緩めずに次の計画を立てた。

慶州旅館の主人が教えてくれた通りに、瀋陽の西塔で朝鮮族の民宿を探した。

四十代後半の民宿の主人の夫と酒を一杯飲んで話を交わして、脱北して韓国にいる親戚を訪ねて行く途中なのでブローカーを探せるかどうか聞いた。そして、日本が故郷であり韓国には父の兄弟がいるので報酬は充分に払えるだろうと話し、その場で韓国にいる従兄妹の兄に手紙を書いた。

二日後、北京のブローカーから私たちを北京に送れという連絡が民宿にあった。民宿の主人の夫は熟達したブローカーであり有難い人だと思った。

「悪徳ブローカー」アン・チャンス

西塔の民宿でキム・グクという朝鮮族の青年に遭った。彼は、吉州（キルジュ）に親戚がいて北朝鮮に行ったことがあり、学生が農村に動員されて行く様子や、駅で多くの人々が死んでいくのを見て驚いたと言った。

彼は北朝鮮の残酷な現実に同情して金正日体制に怒っていた。私は、北朝鮮を捨てて脱北しなければならなかった私たちの立場を理解してくれる彼が有難く、親しくなった。今まで私たちは冷遇され、人間扱いされずに追い払われたので、語を聞いてくれる彼が有難かった。

ブローカーが一人当たり千ドルを要求していると話すと、彼はその場でブローカーに払う千ドルを貸してあげると言った。初めて遭った人からお金を借りられただけで脱北に成功したような気がした。

貸してくれたお金を含めても手中には一人分の費用しか無かったので、息子を彼の知人に任せることにした。ブローカー費のために生死を共にした息子と別れなければならなかった。六カ月後に必ず連れに来るという約束を残して彼と北京に向かった。

「私はアン・チャンスです。先ず食事しましょう」

彼は、首が短く、背が低く、脂汗でテカテカした顔をハンカチで拭きながらふんぞり返った。一気に大法螺風呂敷の臭いが漂った。食事をしながら千ドルのブローカー費を渡した。

「アン先生、もし失敗したら責任を取って下さい。では、私はこれで帰ります。よろしくお願いします」

キム・グクが残した最後の言葉だった。血がにじむ脱北の過程で、人間の暖かい息遣いを感じさせてくれた朝鮮族の青年だった。

その日の夕方、アン・チャンスはシングルベッド一つしかない小さくてみすぼらしい部屋に連れて行き、ここは安全地帯だと安心させて帰った。しかし、その瞬間から私の運命は、アン・チャンスというブローカーに握られてしまった。

ブローカーは金が全てで、私は安全な脱北が全てだった。彼は金を貰って脱北者を韓国に密入国させるブローカーを生業としていた。正確にいえば無職者であり無法者だった。

彼の弟の妻は脱北女性なので脱北状況とルートもよく知っているという。そして、韓国にいる私の親戚から金を手にするまで、出発させる考えは全くなかった。

「アン先生、いつになったら出発しますか？」

十日も過ぎると彼に対する信頼に疑問が生じてきた。

「李氏、中国南部は雨期だから移動が難しい。明けるまで待たないとだめだ」

私は、十歳も年下で文盲者である無法者を「先生」と呼ばねばならず、彼は私を「李氏」と呼ぶので腹が立ったが、彼にとって私は脱北者という金蔓でしかない。ささいな感情に捕われるときではない。こらえよう。待とう。時間が私の全てを決めるだろう。

彼が準備した部屋で半月ほど過ごしたときだった。真夜中に急に戸を叩く音がした。

「アン・チャンスだ。早く戸を開けろ」

「ウン、何事だ」

私にとって最悪とは公安に捕まる事だ、と思い恐怖が走った。彼は、家からここまで約三十メートルを走ってきたのか、息を切らせて立っていた。

「韓国から電話が来たから、早く！」

従兄妹の兄さんから電話がきたというので一気に脱北が成功したように感じた。私の前にべていた。
立っているアン・チャンスは、私より興奮していた。いつも傲慢な彼の目には親しみさえ浮か
べていた。
彼は素早く携帯電話を掛けて私に渡した。
「もしもし。はい、私はイ・テギョンです」
「お前、イ・テギョンか。爺さんの名前は何という、婆さんの名前は……」
休む暇なく、取り調べをするように根掘り葉掘り聞いて来た。
「祖父はイ・ヨンテク、祖母はキム・ハンシル、私には兄が二人、姉妹が二人です。息子と一
緒に中国に来ましたが、ブローカー費用六百万ウォンが必要で電話を差し上げました」
嬉しくて胸がドキドキした。電話機を持った手はもちろん脚まで震えていた。幸運の瞬間だ
と興奮した。従兄妹の兄という電話の相手は、全てを確認して話を続けた。
「お金を送る件は、明日家族と相談をして電話するから」と言って電話が切れた。
電話の声には情が感じられず、事務的で身元確認にこだわっていた。
予感は良くなかった。私の気持ちも知らずアン・チャンスは、電話の地域番号三二は、暮ら
しぶりの良い京畿道だと知っているようで、これまでで最も興奮していた。私は自由になれる
興奮だが、職無しごろつきアン・チャンスの興奮は金儲けの興奮だ。
翌日、約束通りに電話がきた。

「農家なので、それだけのお金がなくて送ってやれない」

水を含んだ土壁がどっと崩れるように気が抜け、千丈の奈落に陥るようだった。

「少しでもいいので送れませんか。お金は韓国に行ったら必ず返します。定着金から返済できると聞いています。お願いします」

当時、ハナ院を出て分割定着金を貯めれば六百万ウォンは返せると確信していた。

「今は、お金を送れる状況にないので……」と言うと、ペンチで電話線をパチンと切ったように電話は切れた。

五十余年間途切れていた叔父と従兄妹の消息も聞きたかったが、全く何の関係もない他人の話を聞いたように切られてしまった。

私の依頼は命を懸けた依頼であり、親戚の拒絶はより豊かな生活のための拒絶だった。両親は五十余年の間、故郷と親戚を懐かしがっていた。私は、その韓国に第二の故郷として行こうとしている。生死を懸けて行こうとしているのに、小さな希望まで冷たく切ってしまったことに腹が立った。

父はいつも故郷に行きたいといって南の空を眺め、族譜（家系図）を遺産として残した。私たち兄弟は父の故郷を、目を閉じても分かるほどに暗記していたし、親戚を探したのだ。ところが、私たちを助けられる立場にありながら門外に突き出されてしまった。

これ以後、アン・チャンスと私は甲乙の関係から奴隷主と奴隷の関係に突変した。千ドル払った私は、返してもらうことも奪い取ることもできず、彼に服従するしかなかった。最大限ひれ伏して良心に訴えて哀願する方法以外に私ができることは何もなかった。

「アン先生様、私が韓国に行ったら必ず払いますから早く送って下さい。これ以上待てません」

「いいだろう。では三日後に昆明に行こう。ところで、北京駅で検閲に掛かっても俺は知らないよ。一人で何とかしろ。分かったら行こう」

彼はただ金のために生きる寄生虫だった。儲けられるときはあらゆる美辞麗句を乱発するのに、これからは一人で何とかしろという。金を手にすれば用済みだという、欲が天を刺す悪徳ブローカーであった。

私は、二カ月も経つので用心深さよりも焦燥感をこらえ切れなくなった。

「どうせ踏み出した道だ。早く行こう」と心を決めた。何よりも、日々酷くなるアン・チャンスの蔑視と冷遇が私を苦しめた。

「何があろうと脱北に成功する」という初期の決心と異なり、二ヵ月間の待機は自制力を失わせ、「死のうが生きようが行く」という決心に至った。

新ルート開拓のモルモット

二人で北京駅へ行き、アン・チャンスが昆明行き切符を買った。

駅では空港のような荷物検査をしていた。ベルトコンベアに荷物を載せると、黒いゴムカーテンの中に入り、レントゲン検査を終えると反対側に出てきた。私は少しでも不審に思われないように、振る舞いにも神経を集中した。

昆明へ向かう三十五時間の間、ベッドに横になって寝ている振りをしていた。公安は寝ている人は検問しなかったからだ。

中国語を知らない私が検問に掛かれば、身動きもできないまま北へ送還される身なので他の方法はなかった。北への送還は私の死だけでなく家族全員の死を意味する。だからいくら大変でも生きるためには、死んだように横になっているのが上策だった。

私は公安を避けなければならなかったし、私のお金と身上情報を全て持っているアン・チャンスの顔色を窺わなければならなかった。

翌朝、昆明に到着した。北朝鮮という地獄を脱出して約二カ月ぶりに国境付近まで来たわけだ。

これからの行き先を聞いても、

「李氏はどこなら分かるんだ。黙って付いて来い」と無愛想に応えた。

昆明からバスに乗り換えて西双版納(シーサンパンナ)タイ族自治州へ向かった。

金は取られ、魂まで担保に取られた私は、尋ねてもろくな返事もしない彼に付いて回るしかなかった。命令に従ってチョロチョロ付いて来る姿が面白いのか、彼の行動はさらに露骨になった。

シーサンパンナのホテルで一日休息した私たちは、翌日打洛(ダルオ)という国境の集落に移動した。ダルオに着くと、浅黒い皮膚で区別しにくい人々が押し寄せてきた。中国語で何か話しかけてきたが、何を言っているのか分からなかった。

後で知ったが、ギャンブラーをバイクで賭博場まで届ける博徒密送屋だった。

アン・チャンスは旅館を訪ね回り、二階屋でトイレのある部屋に決めた。タオルとベッドカバーはいつ取り替えたのか、酸えた汗の臭いがした。

全ては、小太りで横柄で、ただ私の前でだけは傲慢なアン・チャンスの独断で進んでいた。

新しいルートを探してあちこち電話していた彼は、明日直ちに出発しようと言った。

どうやら私は、彼の新脱北ルート開拓に使われて棄てられる一匹のモルモットにされたようだ。私は不安を感じた。

「アン先生様、新しいルートとは成功するか失敗するか分からない道と違いますか。危なくないですか？」

経費が少ない新ルートを開拓するというのは、安定したルートでなく難しい試験のような気がして聞いた。しかし返事は、

「ではどうする。人がいないいんだよ。脱北したときは弾が飛び交う川を覚悟して渡ったんだろう、これくらいの事で成功しないいって？」

私は既に北朝鮮から四千キロも離れた中国南西部の国境沿線に来ており、どこへ行っても話が通じないばかりか頼る所一つもない。退くこともできなかった。

細い糸の端に繋がれて空中を翻る凧のようであった。その凧糸は油ぎったアン・チャンスが思いのままに操っていた。

中国最後の夜を送り、国境越えの行軍に必要な運動靴とビニールの薄膜を準備した。

彼は自分の住所を書いた紙きれを濡れないように瓶に入れてよこしながら、

「ちゃんと保管して失くすな。連絡して残金を必ず送れ」と言った。

生きる確約ない道を取らせながら、金を受け取る自分の連絡先は失くすなと言う彼は、憎たらしいキツネとどこが違うのか。人間の利己心にはきりがない。

青い入れ墨で黒い両腕と首を覆った痩せた体、しかし人相だけは良いアカ族のブローカーが来た。彼もやはり欲心で満たされたブローカーであり、二人は金額の件でしばらく揉めていた。

やっと合意して私の身柄引継ぎが決まった。

アン・チャンスが振り返って握手を求めたが、私は悔しくて憎らしくて、精一杯彼をグッと自分の方に引き込んだ。むせび泣きとともに涙がいきなり噴き出た。

弾丸がいつ飛んでくるかと思いながらの夜間行軍、鎖骨骨折、煩悩、悩み、人間以下の待遇、蔑視などこの二カ月間に体験したことが一度に胸にこみ上げた。

悪縁も縁であるが、とにかく彼が憎らしく、一方ではとても愚かで汚く見えた。死ぬほど憎らしくても死ねない自分があまりにも馬鹿馬鹿しくて涙が出ることを初めて体験した。

第十一章　ミャンマーでの日々

行先はミャンマー

地肌が見えないほど全身を入れ墨で覆ったブローカーが、中国最後の地・ダルオから私をバイクに乗せた。

白い樹液を垂らすゴムの木が生い茂る曲がりくねった山道を過ぎ、辺境の山道で待っていたミャンマーのブローカーに再び引き渡され、二人乗りトラックに乗り換えてある小さな村に到着した。

「奴隷貿易」で売られるように、金の流れであちこちに引き渡された。

村はずれの樹林にある旅館に入った。アカ族、シャン族をはじめとする原住民とは顔付きと皮膚の色があまりにも違い、ミャンマー語も分からない私は外泊が不可能だった。ここでもやはり閉じ込められて過ごすほかなかった。

T字形をした平屋の旅館は、山奥の小さな村にしては規模と設備が現代式だった。キングサイズのベッド、ビデオ、テレビ、エアコン、トイレとビデ、全てが初めて見る物ばかりで高級そうだった。

　このように初めて見る高級な調度品と裏山で鳴く可愛いらしい鳥の声を鑑賞するには、境遇があまりにも危険で侘しかった。

「もし、誰かが私を捕まえに来たら裏窓を開けて飛び降りて、後方の山に走らなければ……」と考え、窓を開けて降りてみると、旅館の戸を叩く音がした。脱北して二カ月の間に、戸を叩く音に対する鋭敏さと緊張は最高値に達していた。

　急いで部屋に戻り、戸を開けると三十代半ばの男性旅館主と一緒に、トアムという百キロを超えるとみられる体格の五十代女性がそれとなく現れた。髪を伸ばしていなければ男としか見えない女性だ。

「千尋の水底は測っても、人の心中は分からない（女性の心は変わりやすすくて分からない）」というが、彼女の心中は分かりようがなかった。今日一日だけで三回もリレーされ、そのたびに手持ちのドルが減っていった。

　トアムはモンラ（ミャンマー、中国国境地域）のナイトクラブの主人であり、ミャンマーのブローカーの大元締めと分かったのは、メンピアで私の手に手錠が掛けられた後だ。

　中国語もミャンマー語も全く知らない私は、彼らとの意志疎通は不可能だった。しかし、漢字で「三」「日」「休」「行」と書いてくれたので、「三日休息後に行く」と解釈できた。分かったと首を縦に振ると、彼女は「午後、午後」と書き、噛みタバコで真っ赤になった口を精一杯広げて「ハオ（好）、ハオ（好）」と首を縦に振った。

山間の旅館から三日後に、ナイトクラブがあるというモンラに移動した。

五〇年代のトラックを連想させる古い車に、ブドウジュースとオレンジジュースを満載し、運転手と助手と思われる痩せた青年が現れた。

「クランク棒」でエンジンを始動させる車だ。力を振り絞ってクランク棒を回すたびに「クルルッ、クルルン」と音をたてる古い車とそれを回す姿は見ものだった。

彼らは、不法入国者の私を移送して儲けるために深夜移動を選択した。とにかく私は、何があろうと自由の国に行くのが目的である。彼らはトアムからお金をもらうために安全運行しなければならない。

すえた臭いを嗅ぎながら、二人掛けの座席に三人がぎゅうぎゅう詰めで乗り込んだ。ミャンマー北部山間地の道は曲がりくねり、登り降りが多い。登るときはエンジンが息を切らせ、降るときは「キィーー、キィーー」としきりにブレーキを踏む。

十頭ほどの牛の群れが頑として前を遮って車を止めるときもあった。こうして二時間ほど走ったろうか、突然、遮断棒が現れて銃を持った人が手をあげてトラックを停止させた。

薄いサーチライトの中で彼を見た。銃を持っているので軍人だろうが、とうてい軍人と言えないほど小柄でみすぼらしかった。助手が降りて行って手振りしながら何か言うと、軍人はすぐに運転台の足掛けにあがって同行者を確認した。もし、表情が良く判別できる昼間だったら、突然の検問で青ざめた私の顔を見ただけですぐにおかしいと分かっただろう。そのとき、深夜運転を選択した彼らの考えが分かった。

その後、ここは自治州軍隊まで持つミャンマーの自治州であり、独自に検問検索をして自衛していることと、捕まれば奴隷のように労働力補充に利用されることをチェイントン刑務所にいた中国人が教えてくれるまで三カ月かかった。

三、四時間後、モンラの入口に着いた。大きな村のせいか、入口から集落までしばらく走り、やっとローラーコースターのようなトラックから降りることができた。

私たちが到着した所は、暗い夜空が明るく照らされていた。色とりどりの明かりと騒がしく聞いたことがない不思議な音楽が流れ、幻想の楽園に来たようだった。

トラック運転手の案内で、典型的な東南アジア式のコテージで荷物を解いた。荷物といっても着替え服と洗面道具が全部であった。

早朝五時になって明るんでくると、音楽と数百個の発光ダイオードも消えた。昼間に窓を開けて外を見ると、かなり大きいナイトクラブとクモの巣のような発光ダイオードの束が見え、ときたま体の線が明確で肩の間が切れたミャンマーの民族衣装ロンジーを着た数人の娘たちが笑いながら歩き過ぎていった。

世界各国の高級酒を注文できるバーがあり、宿泊して楽しめるコテージが十棟ほど並んでいた。トアムの財力と力を察することができた。

部屋にはお婆さんが、ウェットティッシュとパン、牛乳、ビビンバプなどの朝食を運んできた。私は、千尋の奈落、険しい断崖に立っているような気持ちで、また三日間過ごした。その三日は三カ月のように感じた。

朝日が射して眩い八時頃、トアムは、背がひょろ長く腰がすこし曲がった中年の男と一緒に現れた。彼女は私の身なりをしばらく観察して出て行き、誰が着たのか知らない汗に濡れて臭うジーンズと上着をひとかかえ持って戻って来た。汗の塩が付いた黒い上着にはミャンマーの寺院が描かれていた。そして国防色の上着を着ろと投げてよこした。北朝鮮から持ってきた日本製洋服とズボンとリュクサック、アメリカ製ベルトなどは、どう見てもミャンマー人とは異なり過ぎていた。

彼女は、明るく笑いながら快活な口調でブローカーを連れてきたから無事に行けと言った。ブローカーはサンリン・アウンだと自己紹介して笑いを見せたが、スリッパを履いた彼の足は、タコの脚の動きを連想させた。後で知った事だが、彼は麻薬中毒者で正常な精神力と運動神経を持っていなかった。

私は、麻薬中毒者に引かれて、渇望していた自由を探して古いバイクに同乗し、約束の無い旅路に発った。

手錠の重さ

サンリンの汗に濡れた背中に顔を付け、彼の腰をぎゅっとつかんだ。まかり間違えば千丈の谷に落ちて骨も残らないような崖と、ごつごつした未舗装道路は、車一台がやっと通れるくらいで、あちこちで崩れていた。しかし、おかしなことに道路といえないほど車の往来がなかった。

途中でバイクのパトロールに遭って、リュックサックとカバン全部を調べられた。その間、心臓は絶句するように「ドキドキ」したが、幸いにも持物検査だけで済み、人的調査はなかった。何事もないように遠くの山を見て平気を装った。これからも無事だろうと確信して再び麻薬中毒者のバイクに運命を託した。

計画では、北部のモンラからタイとの国境地域であるタチレクに到着後、トアムの弟の助けを受けることになっていた。そして、タイの国境検問所があるメーサイに到着して警察に自首すればタイのバンコク難民収容所まで無事に行ける、という筋書きだった。

私たちはモンラとタチレクの中間にあるメンピア検問所に到着した。でこぼこ道を過ぎ、高い建物が不揃いに集まっている村に入ると、突然運動場のように広い空地が現れた。

サンリンは、この空地の片隅でさまざまな国防服を着て銃を手にした警官の方に向かって行った。

中背で痩せた警官が何か言いながら、手を上げろと命令した。何か質問してきたが、返事もできず戸惑って立っている私に視線が集中した。四、五人の警官がワッと集まって体の検索を始めた。まるで腐った肉に群がるオオカミのようだった。

一瞬にして状況をつかみ、腰ベルトからガチャガチャと手錠を取り出して私に掛けた。サンリンには二本の親指を固定する小さな手錠を掛けた。二〇〇六年十一月二十三日のメンピア検問所だった。

なぜか無意味な虚しい笑いがでた。五十年間の自由の渇望、独裁と弾圧の中で二十数年間脱北の機会を待ち、生死を懸けて川を渡った。四方から押し寄せる危機感、ブローカーによる虐待、ジャングルを経てミャンマーへ不法入国、全ての苦労を耐え抜いた。そしてタイ国を目前にして脱北の成功が見えた瞬間だった。憎たらしい麻薬中毒者サンリンのために自由の希望が目前で虚しく崩れた、人生も終わりだと思われた。

ブローカーなら当然、検問所の位置と検問の仕方を知っているべきであり、オートバイならば街のメインルートを避けて遠回りすべきだということぐらいは常識だろう。検問所の警官たちの中に自ら入って行くのは、わざと捕まりに行くことだ。

額に向けられた錆びた旧式拳銃の黒い銃口から飛び出す弾丸で頭に穴をあけられそうな気がした。瞬間、足がすくんで痙攣が起きた。

北朝鮮から持ってきた住民登録証、医師資格証、両親と家族の写真、若干の日本貨幣、下着と靴下、洗面道具など全てを取リ挙げられて頭が白くなった。警官も、周りの肌の黒い人々も全てが白く見えた。

警官は私たちをどこに引っ張って行くのか。ブローカーのサンリンはなぜ警察に向かって行ったのか、また、なぜ捕まったのか、これからどうなるのか、何も分からなかった。

結局、メンピア警察署へ護送されて留置場に拘留されて取調べを受け、日本語、日本通貨、日本製の持物などから日本人と判断された。

私は亡命者であり、難民であり、帰還者だ

留置所では、麻薬犯や殺人犯などの犯罪者が使って捨てて行った麻袋のような古い毛布を敷いて覆ったが、明け方の寒さを遮ることはできなかった。それよりも過ぎた人生が虚しく、一寸先も見渡せない自分が馬鹿らしく、憎たらしかった。先に迫る未来が絶望的で、置いてきた

家族に申し訳なくて三日間寝るも食べるもできずに夜を明かした。

留置場での一日は長かった。周りの留置人には家族が面会に来ていた。面会は警官の立ち会いのもと、二十センチの格子窓を挟んで行われた。話を交わし、食べ物の差し入れがあれば数十名の留置人が円座を組んで坐り、挨拶しておすそ分けを受ける。しかし私には、面会に来る人も、食べ物の差し入れもなく、安否を尋ねる人も、勇気をくれる人もいない。間違いなくいじめの対象になった。

「三日飢えて泥棒しない両班(ヤンバン)はいない」とは誰が言ったのか。

四日目だった。突然、名前を呼びながら十四歳くらいの娘が走ってきた。それを追うように女性が走ってきた。格子窓の間に手を入れて互いに手を握り、涙を流す。娘がミャンマー語で話しかけた。これは、麻薬に酔って妻と息子を殺した罪で入ってきたフェンという男の、姉と姪が面会に来たときの様子だ。

三日間、寝ることも食べることもできなかったのでぐったりしていたが、気を取り戻して警察署長に食べ物を要求した。食べ終えるとすぐに睡魔に襲われた。

翌日、裁判を受けるために裁判所に行った。このとき留置場の様子を初めて見た。やっとまともな精神状態に戻った。

留置場には約七、八十坪の四角いアバラ屋の中に四角形のマッチ箱のような建物が二つあり、男女に区分されていた。壁の高さは約一・五メートル、約三十センチの厚さにコンクリートを打ち、さらに十センチ×十センチの角材を打ち込み、約二十センチの間を置いて格子窓が作られていた。出入口は二重ドアになっており、出るときには内側からドアを開け、再び内側から閉めて外側ドアを開くようになっていた。

床は黒く腐って隙間がある板床で、あらゆるゴキブリの展示場のようだった。隅には開放されて仕切りが無いトイレがあり、床がべとべとして臭く汚く、座れば顔が互いに見え、重要部位だけ隠すようになっている。トイレの周囲はぬかるみ、汚物の臭いで内臓がひっくり返るほどだった。

水は村人が井戸から運ぶので、お金を集めて労賃を払わなくてはならず、トイレで入浴しなければならない。

二十人ほどの囚人の中でも金が全てを左右し、寝床もやはりトイレ側が弱者の寝場所になっていた。言うまでもなく私の寝場所だった。

ミャンマーの建物の特徴はガラスが全くないこと、水道管が地表に露出していること、すべての家が高床式になっていて地面から浮いていることなどだ。

メンピア留置場では深夜早朝に関係なく一日中人々が出入りしていた。

深夜に裂けるようなどなり声が留置場を覆った。女か男か分からない。中国からアヘンを密輸して捕まったナンウォという男が、漢字を使って「トアムが捕まって来て、彼女を告発したサンリンをののしっている」と教えてくれた。

いくら悪口を言っても、アヘン中毒者のサンリンには「馬の耳に念仏」だ。

こうして、私をタイに連れて行くブローカーの声をメンピア留置場で聞くことになった。

それにしても憎らしいのは、トアムにはナイトクラブ女主人の財力と権力で、毎日面会が来て差し入れがあり、満食して暖かい布団の上でいびきをかき、休養のような生活をしていることだ。また、麻薬中毒者サンリンには、母がしばしば面会に来ていたのに、私には何の助けもなかったことだ。

私は千ドルのブローカー料を払いながら、食べ物、着る物、被る物もなく、ベトベトの床で寝ているのが、馬鹿らしく、みじめで、うらめしかった。

私をここまで来させた中国人ブローカーのアン・チャンス、ダルオの全身刺青のブローカー、ミャンマーの二人用トラックのブローカー、モンラのトアム、麻薬中毒者サンリン、皆がいくら分け前を貰ったのかは分からない。とにかく、私が払った千ドルの中から幾らかずつ貰っておきながら、済まないという素振りはなかった。

留置場では、早朝に各自起床して一・五メートルの壁の上にロウソクの灯りを置き、両手を合わせてお経を唱える。それが終わると班長が全員を横に並ばせ、各自ボロ布を手に、水を撒いた床を拭く。こうして床掃除が終わると、二、三人集まって座り食事をする。

食事にも等級がある。面会が多く食糧の差し入れが多い者と班長は一級、その下で食器を洗い、寝床を敷いてやるおべっか使いは二級、中国から来た者同士でまとまったアンタッチャブルな三級、無縁者でいじめられる四級に分けられる。

私は留置場でも最下の四級だったが、北朝鮮で院長を務めた医師として、知識人としての自尊心は捨てまいと努めた。

私は、銃に撃たれて入ってきた者にはマッサージと指圧治療を施してやったが、警察署長はささいな医療行為を禁じた。全ての囚人の苦痛は自分の苦痛として受け入れながら、彼らを慰労したいという思いは受け入れられなかった。

「私は泥棒でも麻薬犯でも、まして殺人犯でもない。独裁体制のくびきから抜け出して、私が生まれ育った故郷へ戻るために脱北した亡命者であり帰還者だ。もし北朝鮮に戻れば私は死ぬ。国際法によれば、政治亡命者は本人の意志により要求する国家に送ることになっていないのか。早く送ることを請願する」と、漢字と手振りを使って精一杯訴えた。

肉を削り血がにじむような三カ月が過ぎたある日、裁判所から懲役三年の判決が下された。まさか、あり得ない。あってはならない事が現実になった。その瞬間、天が崩れて地が割れるように感じ、体から背骨が抜かれたように倒れた。体を支えられながら留置場に引かれて行った。

二〇〇七年三月、小さなメンピア留置場から、数百人を収容するというチェイントン刑務所に移監された。北への送還か脱北成功か、死ぬか生きるか将来を展望できず、大きな苦痛になった。

虫けらのような生活

私はトアムに頼んで、メンピア留置場に面会に来ていた彼女の兄弟を通じて韓国大使館に難民として救援してほしいという手紙を送った。当然支援してもらえると考えていた。しかし、後で知ったのだが、彼らは大使館に手紙を送っていなかった。金を取りながら約束を守れなかったので、手紙を送るくらいは最小限の礼儀であり良心だろうに……。

しかし、獣を相手に礼儀や良心を論じること自体が愚かだったと悟った。

三カ月後、チェイントン刑務所で意思確認があり、出入国事務所に提出する写真を撮った。私は長い考えの末に、日本は脱北者を難民として認めていないようなので、韓国に行くことを決心した。韓国には既に多くの脱北者が定着しており、引き続き韓国を目指す脱北者が多くいることも知っていた。日本も韓国も自由民主主義の国なので自由さえあればどちらでも良かった。両親の故郷が韓国なので有利なのは韓国だろうと考えて韓国行きを申請した。

一九八三年のアウンサン廟爆破事件で北朝鮮の外交関係は断絶されたため、ミャンマーには韓国大使館があることを知った。これは、韓国に行ける可能性が大きいことを示唆してくれた。少し安心していた。しかし、チェイントン刑務所に移監されて約一カ月半が経過した二〇〇七年五月、北朝鮮との国交回復を報じるテレビニュースは、私を再び奈落に落とした。

話す人ごとに北朝鮮に送還されると言われた。ここにあと何日、何カ月いるのか。北朝鮮に送還されることは強制収容所に入れられることであり、家族全員が三代にわたり断たれる危機に置かれることである。ならば、ここで静かに死ぬことが最善の選択ではないだろうか。

「そうだ、死ぬ、死ぬ」と壁に頭を叩き付けた。

「弱いな、もう一度、まだ弱い。もっと強く」

ゴツン、目から火が出て、頭がガーンとして額が焼かれるように痛かった。ハッと正気に戻った。ここでは自殺できない。

自殺はいつでもできる、とにかく生き延びようと考えを変えた。そして北への送還順序を考えてみた。

「ミャンマー政府が北朝鮮に連絡すれば、北の護送安全員が二人来るだろう。そして中国経由で北朝鮮に連れて行く。国家反逆者のために飛行機代を出す余裕がない北朝鮮だから、飛行機を使うはずがない。トラックで中国の昆明まで行くにはミャンマーの自治州を通過しなければならない。通過できたら、昆明から北京まで汽車で行くはずだ。汽車から飛び降りて逃げよう、失敗して死んでもいい。それまで日にちが残っている。それに備えて体を鍛えよう」と、結論した。

チェイントン刑務所の一日は、メンピア留置場より退屈だった。煩悩と精神的苦痛、うつ病と不眠症に苦しめられたばかりでなく、蟻の群れのようなシラミにも苦しめられた。セミのようなゴキブリがしきりに飛んできて顔に着く。日中は暑く、狭い空間に多くの人々がいるのでシラミが猛威を振るった。しかし、これよりも耐え難かったのは脇の下と股ぐらにできたダニによる疥癬だった。掻けば掻くほど痒くなるのを知りながら掻かずにいられない。掻けば、皮膚が剝けて結節ができる。衛生状態が劣悪な熱帯地方の監獄で、皮膚が剝ければ感染病の危険に晒される。刑務所内では伝染病が日常的に蔓延していた。

チェイントン刑務所は、約十メートルのセメント壁と幾重もの鉄条網に囲まれ、七棟の収容棟が列をなしていた。一棟は政治犯などの特殊犯罪人が収容され、残り六棟には殺人、麻薬密輸などに関連した雑犯者が収容されていた。私がいた収容棟は、部屋の入口から奥の端まで両側に二段ベッドが向かい合って置かれ、収容人員は約二百人であった。

メンピア留置場と同じようにチェイントン刑務所でも、毎晩点呼をした。メンピアと違ったのは、その声が夜通し続いたことだ。

警備員が竹を半分に裂いた四十センチ程の棒を両手に握り、明け方六時まで打ちまくる。その音が鼓膜を突き抜けて脳髄を振るわせた。

一分に一回ずつトントントン、トントントン、トントントンと三回叩くと、「二百名中二百名異常無し。当直員は勤務中」と大声を張り上げる。当直員は寝ずに囚人を監視し、外にいる警察官に警備をしていると音で知らせる。

当初は、この音が体を震わせて眠れなかったが、慣れるとトントン叩こうが監房が蒸し風呂のようになろうが眠れるようになった。眠れなければ狂ってしまう。狂うことの防御手段として睡眠があることを経験した。

チェイントン刑務所では一日二食の安南米の飯が出た。一握りしかならない飯に「タリボ」という干した葉が入った適当に塩辛い塩汁、短い箸とスプーンが全部だった。

飯には二、三十パーセントの籾殻が混ざっていたので、それを選び出すと食べられる量はあまりなかった。一週間に一度くらい豚肉も出たが、赤身はどこへ行ったのか脂身と皮だけだった。

私は平安南道甑山（ピョンサン）教化所（刑務所）から出所した人から話をよく聞いていた。北朝鮮とミャンマーの監獄を比較するのも何だが、食べられずに飢えて死ぬ北朝鮮よりもずっと良かった。

たとえ腐った安南米の飯と塩汁が全部でも、生きるためには食べなければならない。食べなければ人生最大の希望である自由世界に行けない。家族、北送在日同胞たちの願いも成就できないからだ。

チェイントン刑務所には、中国人を除き八人の外国人がいた。ブラジル人一人、ネパール人五人、トルコ人一人と私だった。私を除く他の七人は麻薬犯罪に係わっていた。中国とミャンマーの国境地帯のためか、中国人麻薬犯は数えられないほど多かった。チェイントン刑務所では監房別に外国人麻薬犯を二、三人ずつ分けて置いていた。

警察の将校が通り過ぎるときは、班長が「気を付け」の号令をする。号令があると場所を問わずその場で膝を折って座り、両手を膝に置いて頭を九十度下げなければならなかった。真っ赤な口（ミャンマーの大半の人は噛みタバコで口が赤い）をしまりなく開けたまま歩き過ぎる、襟のカラーに星二つを着けた警察将校の出現は、王様のお出ましのようだった。

監房ごとに班長、十人の当直、衛生兵、事務所勤務者、食堂炊事員、木工、洗面所管理員、井戸管理員などを囚人の中から選出したが、その全員が賄賂を使ってなったという。

朝起きると、監房の隅に置かれた二つのドラム缶に我先に集まって我慢していたオシッコをする。約二百人のオシッコでドラム缶は一瞬のうちに一杯になる。

放送があると班長が「さっさとしろ」と、怒鳴りつける。そして当直員は収容者を並べて膝まずかせて殴る。殴られた者は、ぎゃあぎゃあ大声を出す。全員が座れば「一、二、三……」と数えて点呼する。そしてスピーカーからお経が流れると私たちは唱和しなければならない。お経が終われば、各自洗面する。バタンと監房の戸が開くと争って水タンクに走り、水を汲んでパンツを着たまま体を洗う。それが終わると「ロンジー（ビルマ式スカート）」の中でパンツを脱いで木に掛けて干す。

正午には監房に戻り、一時間ほど義務的に昼寝をしなければならない。その後は再び水を浴び、夕食をして、午後八時から十時までテレビを見て就寝する。そして、翌朝六時に起床する、これがチェイントン刑務所の日課だ。

無法地帯のためか、班長でも警察官や監視員にちょっとでも睨まれると袋叩きにされる。

特に私は、ミャンマー語を知らずに笑い者にされることもあったが、誰かを恨んだりけなしたりできなかった。

停電の時は発電機を使う。水タンクに水がなければ、井戸から水を汲んで水浴びと洗濯をした。深い井戸は滑車が付いたつるべ井戸だ。

洗濯時には収容者が井戸の周りに蜂のように群がる。衛生状態が良くないミャンマーでは井戸も清潔なはずはない。四メートル四方のセメントで平らにしてはあったが、周りは水溜まりだ。腐臭を発する汚水をたどると、見るだけでも吐き気がするゴキブリがうようよしていた。

あるとき井戸の脇を通ると、いつもは混雑しているのに人がいなかった。私はこの機をのがさず、汗で濡れた青い囚人服を脱ぎ、すばやく水を汲み、石鹸なしに真水で揉み洗った。「早く、早く、早く」と、洗濯に夢中になっていると突然「コリア!」という声とともに「ピシャ!」と音がした。ムチ打ちされて首根っこが焼かれるように痛く熱かった。

背が低く頬のハタケ(皮膚病:顔面単純性粃糠疹)が世界地図のようになっている監視隊員が顔をしかめながら、井戸の前に貼ってある紙を指して何事か言った。

「井戸消毒中につき使用禁止」と書いてあったようだ。鬼グモを剥製にしたようなミャンマー文字を知らなかった私は、無惨にムチ打ちされても訴える術はなかった。

重い手錠を掛けられても、首根っこを焼きゴテで焼かれるような苦痛も、大事のためには我慢しなければならなかった。ここでは、私は虫けらだから。

刑務所で虫けらのような生活を送ったのは、私だけではなかった。朝、起床してお経を唱えていると、突然むくっと立ち上がって班長を指さして拳を突き付けた囚人がいた。ガリガリに痩せて面長の黒い顔にボロをかけた彼は、中国から不法入国して刑務所に収容されたそうだ。囚人で組織された当直員三人がさっと集まり、犬を殴るように彼を殴り始めた。瞬く間に顔は形が分からないほど血に染まった。彼は、目から青い火を吐き、口から血を吐きながら中国語で何か叫んだ。小さい体格なのにどれだけ強いのか、足蹴りされ手を捻じ曲げられてもすぐに起き上がる。そのとき、囚人服を着た中国人「親分」が彼に近寄り、タオルで流れる血を拭き、静かに中国語で何かを言った。

当直員が足で踏みつけても、死にもの狂いで抵抗した彼は、数言の説得でおとなしい飼い犬のようになった。

それからも繰り返された袋叩きで、彼は数日の間に精神異常（精神分裂症）になり、じっとしていても誰かを罵り、突然立ち上がったりした。

「狂った奴にはムチ」というが、その日見た狂人の行動から、自分を心から理解してくれる同胞の愛情深い言葉が、若い男三人の力より強いことを知った。

結局彼は中国へ送り返されてしまった。

ヤンゴンへ移送

最初にメンピアに収容されて約一年経った二〇〇七年十一月、韓国と日本の大使館から領事がチェイントン刑務所を訪ねて来た。韓日の領事は同席して私を聴取した。

先に日本の領事が質問した。私は日本で生まれ、一九六〇年に帰国運動で家族そろって北朝鮮へ渡り、平安南道で暮らしていた、そして自由を求めて脱北したと答えた。

横で見守っていた韓国の領事は、北朝鮮の歌を歌ってみろと言った。戸惑って「金日成将軍の歌」を歌うと、他の歌も歌ってみろといった。漢字を書いたのを見て、朝鮮族の可能性もあると疑ったのだろう。韓国に叔母と四親等の兄がおり、脱北後に中国から電話連絡したことも話した。

その後、日本の領事は来るたびに食べ物とタオル、歯ブラシと歯磨きなどの生活必需品を入れた二十リットル入りのビニール袋二つを差し入れしてくれた。

これまでの間ずっと顔色を見て、気まずく差し入れのおこぼれに預かってきた立場から、施してやる立場になり、いじめも受けなくなった。

二百人を意のままにしていた班長まで笑みを浮かべるようになった。空腹に苦しむ所では、食べ物が最高の貴重品だ。

数日後、韓国と日本の領事は別々に面会に来て帰った。

事務官からメンジェル（収容所事務所）に呼び出され、「日本ならすぐにでも送れるが、韓国に行くと言うなら北朝鮮に送る」と言われた。

私は既に「韓国に行きたい」と言った後だった。

それから一カ月後の二〇〇七年十二月、私は首都ヤンゴンの刑務所に移送されることになった。

移送のため事務所に行っている間に、噂を聞いた収容者たちは、私の持物を漁り、味元（日本の味の素）、唐辛子粉、毛布、マットなど全てを盗み出した。

移送されるので、味元であれ何であれ不要になるので問い詰める理由は無かった。私はすぐに刑務所内の身体拘束具場に連れて行かれ、両足首に十ミリの丸鋼で作られた鎖をはめられた。両足首の鎖にリベットをして両側の鎖を一メートルくらいの鋼線で連結し、両端を縛って両手を固定された。それでも足りないのか手首に手錠を掛けた。結局、両手両足に鎖と手錠を掛けて鋼線で連結された。青い囚人服と「ロンジー」を着て、四肢を鎖と丸鋼で縛られた私は、警察に護送されてチェイントン空港から飛行機に乗せられた。

護送でなければ、生まれて初めて乗る飛行機の離着陸の振動を全身で感じ、数千メートルの上空から地上の美しさを満喫できる機会であったが、脱北という罪でもない罪で空を飛ぶ私には全てが監獄に見えた。

ヤンゴンに着陸してバスに乗って空港ターミナルに着くと、荷物受取場で荷物係が降りて来た搭乗客に荷物を渡していた。バスから降りた私の姿を見た荷物係は、恐ろしい犯罪者に遭ったように後ずさりした。

あー、哀れな脱北者よ、哀れな朝鮮の金日成民族よ、ミャンマーの若い荷物係から厳しい蔑視の視線を受けなければならない運命に、乾いてひび割れた胸が再び強く裂かれた。

ヤンゴン・インセイン刑務所

インセイン刑務所は英国植民地時代に建設され、今でも刑務所として使われており、常に二千人以上の政治犯が収容されている。

タマネギのように外側から一次塀、二次塀、そして四棟の建物を合わせた三重の塀に囲まれている。中には刑務所事務所、食堂、病院、特殊監房、木工場、裁縫場などの施設が列をなして置かれている。

一つの監房に八十から百人が収容され、一人当り五、六十センチ四方の空間があった。チェイントン刑務所に比べれば少しましなだけで、決して良いとはいえない。

申請すれば病院に行けるし、仏教、イスラム教、キリスト教信者が集まって週末礼拝できる場所も用意されている。一週間に二回くらいは特別食として肉汁も提供され、油気のあるカボチャ汁も食べられた。

待遇が良くなり、寝床も楽なので囚人間の喧嘩も少なかった。夜には韓国ドラマ「朱蒙」や「王花天女」も観た。こうした韓国ドラマを見ると、より強く自由を渇望するようになった。

収容所ではミャンマー語の他に中国語が多く使われ、次に英語が使われていた。日本語を知っている人も数人いた。

アメリカに対しては嫌悪する態度を見せていたが、不思議にも日本に対しては良い幻想を持っていた。それで日本語を知っている人とは近い友人になった。

政治犯のタジュィというミャンマー人は、私を日本人と思って何かと助けてくれた。数千ウォン（数百円）を渡せば看守も奴隷のようにできる国なので、彼は、私に代わり韓国大使館に手紙を出してくれた。

「あなたの国の人が今刑務所にいるのに、あなた方が支援しなければ誰が支援しますか。あなた方が善処すべきです」と伝えてくれたそうだ。

次の月から韓国大使館は一、二カ月に一回、生活必需品と食品を刑務所に送ってきた。今考えれば二カ月に一回届く二十リットル袋の間食と生活必需品は、ただ食べることで命を維持して先を夢見る私たちには生命線と同じだった。

世界は北朝鮮を悪の枢軸、貧困国と見做しており、刑務所の中でも北朝鮮から来た脱北者は最低の人間として扱われるが、韓国大使館が差し入れてくれる差入品は、私を粗末に扱えない結構な存在にしてくれた。

二〇〇八年十一月八日、インセイン刑務所で韓国領事と面会があった。私は終始一貫して、「私は殺人犯でありません。麻薬犯でも窃盗犯でもなく、ただ自由を求めて来た者です。両親の故郷は慶州です。私は、両親の故郷を訪ねて行く息子として遇して下さい。一日も早く韓国に連れていって下さいと」と必死にお願いした。

しかし領事の目は鋭く、「韓国に連れて行く」という言葉は一言もなかった。その後何度も会い、その度に私はズボンの裾をつかんで哀願したが、常に外交官らしく事務的に対応して確答を避けた。私の心はフライパンの油が燃え上がるようにメラメラと燃え上がった。

私ができるのは護送と脱出に対処して健康維持と身体を鍛える事だった。駆け足と上体起こし運動をし、健康のための五大栄養素の中でビタミン不足がひどかったので湿地で育つホウレンソウのような植物の葉二枚とアカシアの葉五枚を毎日摘んで食べることにした。

北朝鮮への送還という最悪の事態にそなえて駆け足をし、木の葉と草を食べはじめて二ヵ月後、びっくりすることが起きた。

私は昼寝をして監房の門が開かれると、すぐに湿地のホウレンソウ畑と長く立ち並ぶ水タンクの横を走りはじめた。息を切らして走っていると突然、喉にヌルヌルする何かがひっかかった。半分は喉の中で、半分は口の中でうごめいている。手を入れると、とても小さいドジョウの尻尾のようなものがいる。反射的に引っ張った。するーっと喉から出てきたのはピンク色の回虫だった。回虫が口から出てくるほど、私の体はすでに回虫の宿主になってしまったのだ。以後、野菜はビタミンと考えるたびに、このことが忘れられない。

私は韓国から来たイ・ジョンヒョンという社長と親しくなり、日本から来た人とも顔見知りになった。韓国人のイ・ジョンヒョン社長は五カ月後に釈放されて韓国に帰った。彼は、滞在期間オーバーで捕まったのですぐに釈放されたのだ。

私は彼に、鴨緑江を渡って中国大陸を経てヤンゴンまで来る全期間を記憶して書いた日記と韓国大使館に送った手紙、家族に書いた手紙と日課を記録した聖書を渡し、従兄弟の電話番号も教えた。

韓国に来てから従兄弟に尋ねたところ、釜山から知らない人が変な電話を掛けてきたので、電話番号も聞かずに切ってしまったという。最も苦しかった人生の記録を無くしてしまった気がした。

チェイントン刑務所もそうだが、インセイン刑務所も私の脱北計画に全く無かった。メンピアで捕まり二年四カ月も刑務所に収監されるとは想像もできず、その間に起きたエピソードは多い。しかし、手首と足首に鎖をはめられるとは考えもしなかった。

念願の韓国へ

ミャンマーで収監されていた間、寒さの苦痛を受けなかっただけでも幸いだった。

二〇〇九年二月、韓国大使館から領事が面会に来た。いつものように動員されて働く四人の当直者が「コレア！　コレア！」と両手を口に当てて大声で呼んだ。

するると、トルコ人の麻薬犯が禿げた頭をなでながらバタバタ私に走り寄って来た。彼は伝達するのが自分の役割のように「事務所に行け、大使館から来たぞ」と、息切れしながら下手な英語と手振りで教えてくれた。

領事はいつもと違い、明るい微笑を浮かべながら話しかけてきた。

「変わりはなかったですか。体の悪い所はないですか。出所日になればすぐ韓国に送ります」

予想だにしない言葉だった。良い意味での青天の霹靂だった。

今まで、ただの一度も胸を打つ話をしなかった彼が、今日は会うやいなや韓国に送ると言う。事務所から戻る間、気持ちが浮き浮きして足が地に着かなかった。

一度も気楽な日がなかったミャンマー滞在中、息を殺して虫けらのように暮らさなければならず、死んでも生きる執念で鬱病にも罹った。数えきれない幻想と妄想で毎日を送ってきた。だから「すぐに韓国に送る」という言葉を本当だと感じられなかった。

二〇〇九年三月六日十二時、強い日差しながらも気持ち良い風に汗を拭きながら昼寝をしていると、事務室からの使いが、出所させるので荷をまとめろという連絡を持ってきた。

数多くの出所者を目撃するたびに羨ましく、侘しく、孤独を感じながら見送った私が、今日は羨みの見送りを受けて出所することになった。

出て行く私には全く必要ない物だが、収容者には必要なマットと毛布、囚人服、食器などの日用品を選別して分け与えた。脇で寝ていたシャン族のサンカン・トアは、自分のシャツをくれた。

私が着てきた日本製の上着は既に看守たちの所有物になっていたが、北朝鮮から着て来た日本製ズボンとサンカン・トアがくれたシャツ、そして領事が持ってきた大きな運動靴を履いて刑務所を出た。私は白髪混じりの丸坊主だったが、囚人のイメージから完全に脱皮して韓国人に変身した。

昼寝時間のため、共に過ごした囚人との別れの挨拶も交わすことなく、看守と事務所に向かった。両手に手錠を掛けて移動する護送でなく、自由の世界に出て行く闊歩であった。

領事が書類にサインをし、私たちは黒い車に乗って空港に向かった。

車窓から外を見て自由の空気を満喫したかった。市場通りを走ると狭い路地と薄暗い路、泥道、大声を上げる商売人、全てが新鮮で美しく見えた。拘束されて刑務所に入るときに見た世界と自由の身になって見る世界がこんなにも全く異うのか……。

ヤンゴン空港で二度目の飛行機に乗った。最初はチェイントンからヤンゴンに囚人として四肢を束縛されて護送されたときだ。今日は、出所して自由の身で韓国へ行く飛行機だ。同じ飛行でも拘束された飛行と自由の飛行は全く違う。

飛行機に乗ると横に二十代半ばの女性が座っていた。私は、着ていた服とブカブカの靴と臭いで恥ずかしかった。ようやく私は、恥ずかしさを感じられる自由を実感した。

飛行機の中で、過ぎた過去と近づく将来を何時間も思い描き、窓から目を離せなかった。

「何をお召し上がりますか?」と突然、スマートなスチュワーデスが聞いたので「ご飯」と一言答えた。

「お飲み物は何をお召し上がりますか?」と再び聞かれて、「水」と答えたが、お金がなければ食べられないだろう、と急に心配になった。

お金を払えと言われたらどうしよう。ご飯は食べたし水も飲んだ。しかし幸いなことにお金を払えと言われなかった。

航空料金に機内食代金も含まれているのを知らなかったのだ。知っていたら、ミャンマーの焼き付ける陽射しに長年乾いた喉をジュースで思い切り潤しただろうに……。

ヤンゴン空港を発つとき、領事は、飛行機が韓国に到着したら最後に降りれば案内人が来ると教えてくれた。

「皆様、ようこそ仁川空港へお越し下さいました。飛行機が完全に停止し、座席ベルト装着サインが消えるまで席でお待ちください。上の棚を開けるときは荷物が飛び出ないようご注意ください。お忘れ物が無いよう今一度ご確認下さい。いつも大韓航空をご利用いただき誠に有り難うございます。私どもも乗務員はお客様とまたお会いできる機会をお待ち致して最善を尽くして参ります」

ウィーン、クン、クッ、クッ。飛行機が停止した。

私は二〇〇九年三月七日、韓国仁川空港へ到着し、罪人の拘束から完全に解放されて自由の身になった。

機内に静かに座っていた二百五十人ほどの搭乗客がゆっくりと動き始めた。私は、通路側座席の女性が動かなければ出られず、荷物もなかったので急ぐ必要もなかった。また、最後に降りないと出迎えの案内人に会えない。

約十五カ月過ごしたミャンマーのインセイン刑務所から、ある日突然釈放されて出た私の姿は、路上生活者の様だったろう。丸坊主頭にシャン族の同僚収監者がくれた空色のシャツ、領事が出発直前に買って来たばかりの青い船型の靴、二年四カ月間四十度の陽光に日焼けした黒い顔、どれ一つ見ても航空料金を支えるほどの旅行者ではなかった。しかし、見た目は路上生活者でも、心だけは自由人だった。

早く降りる理由もなかった。どこへ行くべきか、何をすべきかも分からなかった。降りた客の後に付いてそわそわと到着ロビーへ出ると、どこからか、肩幅が広くがっしりした体格の人が近づき、

「本当にようこそおいで下さいました。お疲れ様でした」と、挨拶した。

久しぶりに暖かい言葉を聞き、やはり「祖国」「韓民族」という血縁の情で全身が温かく包まれた。

黒い車に乗るとどこかへ向かって走った。無言の空気が漂い、その雰囲気を変えようと私が先に口を開いた。

「韓国に脱北者がどれくらい来ていますか？」

私は外部と断絶された刑務所で生活していたので当然知らないことだ。

彼は運転中のためか、じろりと見て、

「そんな事をなぜ聞きますか？」と、押切で牛のエサを切るように答えた。私の舌がスパッと切られたような気がした。

少し前の「ようこそおいで下さいました」という嬉しくつましい言葉はどこへ行ったのか。

他人の胸中を探り、情報を探り出す専門家の本性が現れたようだった。

「アッ、まだ緊張を緩めてはならない」と、緩みかけた体が緊張した。

これまでの人生が血を凍らせる緊張の連続だったので、自由の地に到着した今、心の紐を精一杯解きたかったが駄目だった。自由という心の紐を力一杯縛り直さないといけないと受け止めた。

ミャンマー及び東南アジア西部の地図

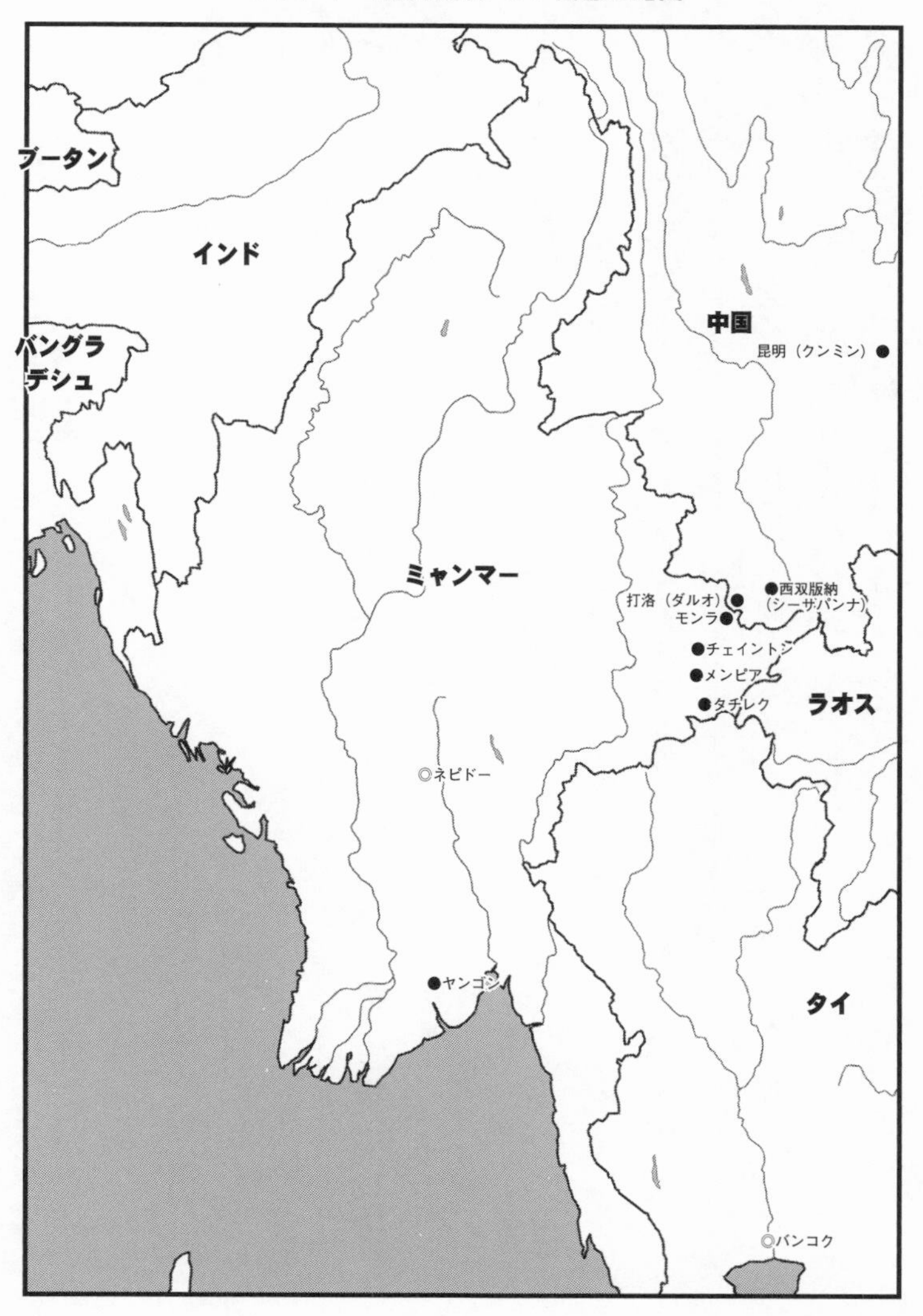

第十二章　希望の地で

志を貫けば必ず成就する

車はしばらく走り、国家情報院合同尋問センターに到着した。谷に沿って山の上から三月の風が顔を掃く。北朝鮮の独裁と粛清で歪んだ胸、汗に濡れた体を焼く日差しとあらゆる犯罪者たちが収容されたミャンマーの刑務所から出所して、自由と希望に満ちた涼しい空気で胸を存分に膨らませた。

まるで有名な別荘に入ってきたようだった。北朝鮮から中国大陸を経て、熱帯アジアの収容所で着ていた受難の服を脱いで、新しい服を着ると心も新たになった。

簡単に登録して部屋を割り当てられ、先に入って来た年寄りと若い脱北者と名前を交わした。食事を知らせるベルが鳴ると、あちこちの部屋から数十人が出てきた。

ガチャンという音と共に、重い鉄格子扉を開閉するミャンマーの収容所とは違っていた。大韓民国に入国し、最初に食べる食事なので好奇心いっぱいだった。各自トレーを持って並び、それぞれの食事量に応じてご飯とおかずを盛ってもらう。

数十のテーブルを回って空席を探した。その中で私を見つめる若者の視線を感じた。反射的に若者を見た私は驚いて持っていた箸を落としてしまった。

「父さん！」

「息子！」

共に叫びながら走り寄った。数十人の目が集まっているのも知らずに抱き合った。熱い涙が溢れた。ブローカーに払うお金が無く「六カ月後には韓国でお金を稼いで必ずお前を迎えに来る」と堅い約束をして中国に残してきた息子が立っていた。

ミャンマーで捕まっている間、息子に申し訳ないと思っていたが、やっと自由と共に、失った息子と再会できた。

私と息子は、水を飲み込むようにさっさと食事を済ませ、別れた後の出来事を手短に語り合った。私は二年四カ月の刑務所生活をしなければならず、十六歳だった息子は身分を隠して身の脅威と北送の危機、稼いで生きる生死の危機を経験しなければならなかった。朝鮮民族＝金日成民族という理由のために深呼吸もできず、脱北者の身分を隠して製紙工場で働いたという。そこでお金を貯めてブローカーを探し、カンボジア経由で韓国に来る長く危険な脱北の道程だったという。

私は、収容所で虫けらのような悲惨な生活をしながらも瀋陽（シェンヤン）に置いてきた息子に罪の意識を常に感じていた。息子は私から何年も全く音沙汰もないので、脱北に失敗したのだろうと考え、一人でも必ず行くと決心して頑張り、脱北に成功した。

脱北者たち皆がそうであるように、私たちも生と死を懸けた想像もできない紆余曲折があった。

「李先生は北朝鮮で病院長までなされて、飢えて死ぬほどではなかったでしょうに、なぜ脱北なされたのですか?」

黒い服を着た尋問官は髪を撫ぜ上げ、極めて事務的な態度で尋ねた。しかし彼の視線は私の一挙手一投足に注がれていた。年齢は五十代半ばぐらいだろうか。

すでに初老期の年で数多くの苦難を経験し、願っていた人生の目的地に到着した私には苛立ちや急ぐ理由もなかった。何より死線を越えて人生という確固たる未来を感じられる余裕や満足感があった。

「人権と自由を求めて来ました。人間らしく生きたくて来ました。他の理由が必要ですか」

返事を終えた私は静かに目を閉じた。彼の質問が事務的なら私の返事は感情的だった。彼が三色ボールペンのボタンを押すと瞬時に色が変わる。まるで三カ国を漂って来た私の人生のようだ。日本から北朝鮮に、そして中国、ミャンマーを経て韓国に、国を移るたびに私の人生はボールペンの色のように確実に変わった。彼は、私の話を一つも漏れなく書いていった。

「自由を知らず、それなりに暮らせて金日成の独裁下で死なねばならない人生だったなら、あえて生死を賭けて脱北する理由はありませんでした。しかし私は自由の貴重さを忘れられません。たとえそれが日本の地で幼いときに体験したものでも、命を賭けて脱出するほど大切です。私は単に空腹と独裁政治から逃げようとして国境を越えたのでありません。自由を享受して人間らしく生きるためです。金氏一家が私たちを洗脳しようとしたことよりも、強烈な自由の渇望と意志が、北朝鮮という巨大監獄から脱出するように仕向けたのです」

国家情報院の尋問官は、落ち着いた目つきで私を見た。妹くらいの年齢だった。

韓国の親戚たち

韓国社会に定着する教育を行うハナ院に入ってひと月ほど過ぎて、時間の余裕ができたので、真っ先に、覚えていた従兄弟に電話をした。

「お前、来たのか。数日前に国家情報院から『北の従弟を知っているか?』と尋ねるおかしな電話がきたよ」

知らない電話は誰でも変な電話と思うだろう。脱北して従弟が来たなら好奇心を持つはずなのに全くその気配が感じられなかった。

私は韓国にいる親戚の生死を尋ねた。父方の叔母（七九歳）は釜山に住んでおり、叔父の叔母（八十歳）は海雲台で仏教関係の仕事をしているという。

釜山の叔母にも電話をした。その声は聴きなれた慶州訛りで、まるで母が話しているようだった。

「あんたはだれ。うん、うん。北朝鮮から来た甥かい。そうかい……」

公衆電話の受話器から、寝起きしたばかりのような声が聞こえた。話したくないような気乗りしない顔が見えるようだった。私は安否だけ伝えて電話を切った。

ハナ院で居住地を決める日がきた。北朝鮮では平壌と地方の生活格差が非常に大きいので、誰もがソウルや首都圏を希望していた。班長と副班長は居住地を自由に選べるから当然ソウルに居住する。他の人はソウルを除けば比較的事由に選択できたが、それでも希望通りではなかった。行きたがらない地方はくじ引きで決めた。

私は、前もって釜山に行くと決めていた。理由は、両親の故郷と私の故郷である下関が一番近いからだ。

釜山に移り、最初に叔母を訪ねて行った。顔は父とそっくりで、高齢の割には遠い昔の事柄をよく覚えていた。

叔母の話によれば、父のお碗にはいつも真ん中に生卵が載せられ、漢文の書堂に通い、長男として祖母の愛を一人占めしていたそうだ。

そんな父が、あるとき自転車に乗って慶州に行って戻って来ると突然、お金を儲けてくると言って日本に渡ったそうだ。静かに話していた叔母の声が突然荒くなった。

「お前の父さんを考えると憎くて死にそうだよ。長男だからあんなに大切にして農作業もさせなかったのに……。日本に行って、なんで赤に染まって北朝鮮にまで行ったのか。お前のおばあさん、おじいさんがどれほどお前の父さんを探したか知らないだろう。親不孝者だ」

「叔母さん、父と母は北朝鮮に行っても、私は韓国に帰って来たんですよ」

「そうだね。お前は故郷を訪ねて来たが、お前の両親たちはそうなんだ」

私を非難してはいないようだった。

叔母から見れば、私は兄の息子だ。叔父の妻からみても私は甥だ。しかし、喜ぶ様子は一つもない。

叔母は私に電話番号を教えたことで従兄弟をののしったそうだ。私がそんなに憎かったのだろうか。私にも慶州李氏判典公派の血が流れているのに……。

叔母たちは甥の帰郷を目にして一層父と会いたい気持ちが募ったのだろう。

北朝鮮に「帰国」後、韓国の親戚は「帰国者」を出した家族として不利益を被り、数十年間を背信者の家族として暮らさなければならなかったそうだ。

「遠い親戚よりも近くの他人」という。私と一度も会ったこともない従兄弟は、ある日突然中国からの電話を受け、脱北費用六百万ウォンを貸してくれと頼まれて本当にあきれた事だろう。今考えてみれば拒絶されて当然だと思う。韓国で親戚に会えた私が理解しなければならない悲劇だ。「北送在日同胞」の親戚も、韓国で大きな不利益を被ったのだ。

韓国には四親等（叔父の子供）の親戚が五人いる。彼らは兄弟が集まる家族の集いに招いてくれ、私の家にも遊びに来てくれ、従兄弟はキムチ冷蔵庫を買ってくれた。

その年の「宗親会（同系譜親戚の集まり）」では五百万ウォンの生活費を援助してくれた。生死を賭けた中国でこのお金を手にできたなら、苦痛と不幸の二年四カ月は無かっただろうと思うと残念な気がした。

私は韓国年齢一歳

ハナ院で三カ月間の適応教育を受ければ、韓国生活に慣れて定着できると考えていたが、ヨチヨチ歩きから習わなければならない難しいことだった。

担当刑事が出迎えにきて夕食をとり、永久賃貸住宅で生活案内を受けた。公共交通手段利用方法を教わり、交通カードを作ってくれ、銀行口座と携帯電話を開設してくれた。そして聞きたいことがあればいつでも訪ねて来るようにと言ってくれた。

翌日、人権相談センター相談員の要請で蓮山洞を訪ねて行った。大衆交通手段のバスと地下鉄に乗らなければならない。

マウルバス（コミュニティバス）に乗るとき、前の人の行動をじっくり観察した。受話器のようなカードリーダーにカードを当てると「ピーッ」と、音がした。私も真似て素早くカードを当てた。何の音もしない。「機械も人を区別するのか？」と思いながら再び当てる。それでも音がしない。突然、後にいた中年の男性が私の手をつかんでカードリーダーのセンサー部分に当てた。すると「ピーッ」と、音がした。

彼は、そわそわしている私に、

「公共交通は初めてのようですね」と聞いた。

「えー、そうです」

温泉駅前で待っていた相談所の書記がうれしそうに迎えてくれた。彼は地下鉄の待合室で、飲み物を買いに冷蔵庫のような機械に連れて行き、

「何を飲みますか」と聞いた。

ペットボトルのトウモロコシ茶、ミネラルウォーター、韓国茶、缶コーヒー、マンゴージュース、コカコーラ、サイダーなど種類が豊富だった。

値段が表示されており、ガラスカバーを開いて取り出すのかと好奇心が出た。彼は横長の穴に紙幣を入れて飲み物のボタンを押した。「キューン、ガチャン、ドン」と、故障でもしたような音がしてオレンジジュースが取り出し口に転がり出てきた。そして「チャラチャラ」と、小銭が出てきた。全てが不思議だった。

私は、今日から新たに生まれ変わった人生を生きると決めた。韓国年齢一歳という姿勢で社会に臨まなければならない。

今までは得られなかった自由と民主主義を思う存分享受できる反面、自分が無限責任を負って生きる義務が伴う。

「こまめに学び、責任を持って自粛する」ことを実践している。学び習って終わりがない。

妻と娘の脱北

トルストイは「世の中で最も重要な時間は今の時間であり、最も重要な人は隣人」だという。北朝鮮に置いてきた家族に会えるまで、この名言を否定してきた。私にとっては北に置いてきた妻と娘が重要だったし、家族に再開するその時が重要な時間だった。

韓国に定着した日から、一生懸命お金を稼いで北朝鮮に置いてきた家族を連れて来ることが生きる目標となった。政府が支援する分割支援金と生計費で、脱北させる費用を用意することは難しかった。しかし、何としてでもお金を用意しなければならなかった。同じアパートに住んでいた朝鮮族の青年と一緒に人材紹介所を回り、アルバイトをした。

朝六時に家を出て人夫手配所に行く。「オヤブン」（責任者をこう呼ぶ）に引率されてトラックに乗り、歩道ブロック交換作業現場に行った。古いブロックを外して一輪車で運び出す。そこに砂を敷いて均等で平らにすると技術者らしい人が踏み均（なら）す。そして新しい歩道ブロックが敷かれる。私は新旧のブロックを一輪車に乗せて往復した。

腰を伸ばしてしばらく休むこともできなかった。時計の歯車のように一人が休むと全てが止まる。オヤブンは「早く！　早く！」と急き立てる。夕方まで重い一輪車を引っ張り、水車が回るように繰り返した。夕方に「今日の作業は終了」と号令がかかると見張りから抜け出す気分だった。

日当七万ウォンだが、人夫手配所で一万ウォン控除されて六万ウォン手にした。タコの足のようにクタクタになった足を引きずって家に帰ると直ぐに横になった。

その日から三日間何もできず、ベッドから起き上がれなかった。北朝鮮で医師生活をし、収容所で何年も暮らしていた私は、韓国で「アルバイト」がどういうものかを知る重要な経験になった。私にとって、金を稼ぐことは肉を削って売るのと変わらなかった。

稼ぐより出費を抑えることでお金を貯めた。

こうして二〇一一年、妻と娘を脱北させることに成功した。自由と人権を家族と共有するのは最高の幸せだった。

息子は政府の支援金を受けて大学を卒業して画家になり、娘は歯科技工士として独り立ちした。

永遠の喜びも永遠の不幸もないと言う。妻は北朝鮮にいたときからの持病で、韓国に来て僅か二年後に世を去った。人はいつかは死ぬ。しかし、世界最悪の独裁と比類なく貧しい北朝鮮から死を覚悟して脱北してやっと自由と幸福を手にできたが、自由と豊かさを満喫するにはあまりにも短い時間だった。妻は、日本で親しくしていた方が北に送ってきた「カレーライス」が大好きだった。「カレーライス」に劣らない、自由と民主主義を二年しか味わえずに去ったことが今でも重く心に残る。

五十六年ぶりの母国訪問

ハナ院卒業六カ月後に旅券を取得した。貴重な宝物を手に入れたようで信じられなかった。旅券があれば外国旅行ができる。遠くどこかに飛んで行きたかった。

北朝鮮では市や郡を出るにも旅行証明書が必要であり、証明書を持たずに捕まれば労働鍛練隊で辛い労働をさせられる。

北朝鮮で「北送在日同胞」は外国への出国は考えも及ばないことだ。しかし、思いもよらなかった外国旅行に韓国からは無制限に行けるので、全世界を抱えた気持ちだった。

最初の旅行地は私が生まれ育った「母国」日本だ。四十六年間独裁の地で暮らしながら一時も忘れられなかった「心の故郷」だ。

旅券があり目的地が決まったのですぐにでも行きたかった。この旅行は一度しかない機会のように思われ、奪われないかと心配した。

二〇一六年秋、離陸を告げるスチュワーデスの明るく優しい声とともに「ウィーン、クルル、ガタッ」と音がして、大きな図体の飛行機と私は一つになって雲の上に上昇した。

足の下にはビルがマッチ箱のように見え、さらに上昇すると、雲がまるで安全網のようで少し安心した。過ぎし四十六年の長い悔しさが走馬灯のように過ぎ去った。

北では、党と保衛部の触手を用心しながら暮らさなければならず、鳥になって自由に空を飛びたいと思っていた。今日はあれほど望んだ鳥になって空を飛んでいる気持ちだ。

危険な脱北への道を見送りながら「どうか気を付けて生き延びて……」と頼んだ姉、「行けるなら日本に行きなさい」と言った母の最後の言葉、「気を付けて必ず連絡しろよ」と手を握った次兄の顔が飛行機の窓に浮かんだ。

福岡空港は仁川空港より規模が小さくて乗客も少なかった。私は、大変でも日本の公共交通を知ろうと考え、バスで宿所のリッチモンドホテルに行くことにした。

飛行機から降りて荷物を受け取り、空港で観光地図をもらい、道を探したが初めての旅なので人々に何度も尋ねた。天神まで行く方法、旅行地図の購入、バス乗り場探し、ホテルに行く道など八回も聞いた。私は自然と日本人の親切な行動に従っていた。やはり人は鏡のようにやさしく親切な人に会えば私もそのようになるようだ。

せっかく来たので大濠公園にも行きたかった。ホテルのフロントで観光案内地図をもらって街に出た。

黒いジャンパーを着た三十代の暴力団員のような鋭い印象の人に道を尋ねた。彼はポケットから携帯電話を取り出し、インターネット検索をしながら、

「ウーン、ここからバスで行くには少し複雑です。私に付いて来て下さい」と言うと大通りに向かい、タクシーを止めた。そして、さっと黒い財布を取り出して千円札を運転手に渡して目的地を伝え、早く乗れと言った。

彼は外見に反して、本当に情のある方だった。私は、頭を下げて感謝の挨拶をした。

大濠公園から、幼い記憶に残っている関門トンネルに向かった。

エレベーターで降りて行くと広い空間があり、遠くかすかに見えるトンネルの終わりは、太い筆で長い線を引いたように美しくて、うっとりした。

たまにジョギングする人や自転車を押して行く人もいた。十五分かけてトンネルを歩いて通過し、エレベーターで地上に出ると、すがすがしく澄んだ空気が胸を満たした。

自転車の人がポストのような物に何かを入れると「チャリン、チャリン」と音がした。そこに近寄って見ると、人は無料、原付バイクと自転車は二十円と表示してあった。誰も見ていなくてもお金を入れて自転車を押して行く人の後ろ姿が美しかった。

両親は私に、「公共の場所で騒いではいけない。拾い物は警察に届けなさい。自分が物を失くしたときを思いなさい」と教え諭した。こうしたのを道徳教育というのだろう。

私も、幼い頃から守るべき常識を身に付ける教育を受けて育ったと思い出した。

来いと言う人も待つ人もいない、母校の下関朝鮮初中級学校に向かった。当時の住所は大坪だったが、今は神田町に変わっている。密集した平屋の間に小さな丘に登る道を探して学校の裏門が見える頂きに着いた。

こぢんまりしたコの字型の建物と自販機が見えた。ここで、「主体思想」「金日成」教育を今でもしていると思うと鳥肌が立った。そして、北朝鮮で四十六年間私を苦しめてきた体制がここで生きていると思うと、母校に対する懐かしさが苦しさに変わった。

丘から降る途中の朝鮮人が営む店でキムチとラーメンを買った。五十代のおばあさんとおじいさんが椅子に座って店を守っていた。二人は私を韓国人と知って喜んでくれた。

かつて大坪では、朝鮮人が団結して互いに助けあって楽しく暮らしていた。賑やかだった学校は、北朝鮮に対する認識が悪化するに伴い、学生数は四、五十人しかいないそうだ。

次に私は、門司港発唐戸行きの船に乗って故郷の家を想像した。東大和町の線路とトンネル、大丸百貨店、下関駅、関釜連絡船埠頭と海、遠くの巌流島は故郷の家を探す基準点だった。

濡れタオルから最後の一滴まで水を絞り出すように、幼い時期の記憶を絞り出した。「十年経てば山河も変わる」と言うが「十年経てば海も変わる」という言葉はない。しかし、大丸百貨店は駅前に移転し、トンネルの両側に列をなしていた居酒屋はなくなっていた。家があった所には、昔の木造二階建てでなくコンクリート三階のビルが二棟建っていた。あらゆるものは似ているが海がない。記憶に残っている数十年前の家は埠頭と海から七、八十メートルほどだったのに……。

道路向かい側でドアを開けていた飲み屋に入った。八、九十歳くらいのおばあさんが笑顔を浮かべて「いらっしゃい」と言った。

「こんにちは。この前は海で、船着き場でなかったですか?」

「そうですよ。八メートル前がすぐ海でした」

関門トンネルを渡る著者

昔の自宅跡には三階建てビルが建っていた

通っていた朝鮮学校は鉄筋コンクリート製に

この一言ですべてが理解できた。当時はこの飲み屋の前に理髪店があり、坂を登って行くと「コクトン部落（朝鮮人部落）」、そして左に少し上がれば「市場」そして「風呂屋」があった。おばあさんは、私の父を「杉本」と覚えており、隣に住んでいた「南さんのおばあちゃん」も覚えていた。五十六年前の母の知人まで知っているという一言に、突然涙がこぼれ出た。亡くなった母が生き返ったように嬉しかった。そして残念だった。故郷訪問は、何十年も懐かしがっていた母が果たすべきだった。

母は韓国で十八年、日本で二十五年、北朝鮮で三十二年暮らしたが、人間らしく暮らせたのは日本だったと話していた。

「テギョンや、私を生き還しておくれ。私も故郷に行きたいな……」

と言う声が聞こえたように思えた。

「明日また来ます」と挨拶し、母の魂に会わせてくれたおばあさんに心から挨拶をして店を出た。

障害者の人権がない北朝鮮

どこで暮らすにも食べる問題が優先し、お金が必要だ。何日か図書館に通い、韓国の職業辞典で私にできる仕事を調べたが、何もなかった。

医師経歴二十年でも、韓国では北朝鮮の学歴や資格を認めないので、医師をするには韓国の医師国家試験に合格しなければならない。六十歳で試験を受けてインターン、レジントを終えれば七十歳を超え、開業はおろか就職も難しい。

釜山雇用労働部で就職を斡旋してくれるという噂を聞いて訪ねて行った。

北朝鮮の地下鉄はエスカレーターの上から下を見ると、人が人形のように小さく見えるほど深い。有事の際に防空壕として使うので、それほど深いのだ。

平壌市の地下鉄は二路線二十一駅が全部なので、通勤時間は大勢の人が羊の群れのようになるホームに安全ドアもない。地下鉄安全員は、こうした状態の中でも警察犬のように田舎者を見つけて「平壌市民証」の検閲をする。

平壌の地下鉄と釜山の地下鉄を比較しながら目的の駅で降りた。すると、前から車椅子が近づいて来た。車椅子に乗った男性は障害者で、付添人の女性も障害者だった。車椅子で階段をどうするのか様子を見ていると、女性は階段脇のボタンを押した。するとリフトが降りてきた。そのリフトに車椅子を載せてゆっくりと下がっていった。

私の視線に不快感を持ったのか、障害者は中指を立てながら悪口を言った。見ただけで悪口を言われて当惑した。韓国の障害者がこのように堂々としているとは知らなかったからである。

突然、北朝鮮にいたとき隣に住んでいた障害者の姿が浮かんできた。彼は脳病変障害者であった。百メートル進むにもよろけて、倒れたり立ったりを何十回も繰り返した。その後ろで子供たちがはやし立てて付きまとい、冷やかす。こうした光景が日常的で、脳病変障害者の淡々とした姿は韓国の障害者とあまりにも違っていた。

地下鉄四号線で車椅子に乗った障害者が「移動権保障」のデモをしていた。北朝鮮では絶対に有りえないことだ。

北に比べて韓国で目にする障害者が多いのは、障害者が一般社会で生活できる福祉条件が整っているからだろう。

首都平壌で障害者は政策的に追放される。なぜか。朝鮮の心臓であり外国人と観光客が多い平壌に障害者が住んでいるのは恥だとみているのだ。北朝鮮政府は障害者を恥の対象として扱っているので、障害者の福祉は想像もできない。

私が知っている北朝鮮の障害者施設は「盲学校」と「ろう学校」だけだ。また、「療養保護」制度もない。親が亡くなり生活の面倒を見られなくなれば障害者も死ぬほかない。これが北朝鮮「障害者」の運命である。

北朝鮮の平均寿命が韓国より十三年も短いのも、経済と高齢者福祉に起因していると思う。北朝鮮の劣悪な体制と状況は、高齢者の世話をする特別養護老人ホームや介護病院施設を作る意欲も喪失させ、これが平均寿命につながっている。

私は、黄海南道シンジュマク付近の「養老院」と平城慈母山里にある「愛育園」を見学したことがある。しかし、丈夫な成人でも餓死していく苦難の行軍は、名目上でも残っていたこれらの福祉施設を台無しにしてしまった。北朝鮮の障害者は、全てを運命として受け入れている。障害者が生きることも天賦の人権だと韓国に来て初めて知った。

文在寅は北朝鮮のスパイ？

北朝鮮の放送と新聞はただの一つだ。だから理解するのも簡単だ。しかし韓国の放送とメディアには注意が必要だ。左と右、善と悪、真実と偽りが混在しているからだ。

韓国に定着して十四年、李明博（イミョンバク）が大統領の時期に韓国に入国し、朴槿恵（パククネ）大統領の弾劾、文在寅（ムンジェイン）のロウソク大統領当選を経て、尹錫悦（ユンソニョル）現大統領時代になった。四人の大統領が変わるたびに、私の人生は嵐の中のボートのように揺れた。北では医学を学んだが韓国では体で政治を学んだ。正義と不正義、善と悪の境界が不明確で混乱している。結局、自分の常識基準で韓国政治を見るほかない。

二〇一〇年三月、北朝鮮の天安艦爆沈事件で五・二四対北朝鮮制裁措置（開城工業団地を除

く南北交易の中断、対北新規投資の不許可など）が取られた。

二〇一三年には現職の李石基（イソッキ）国会議員（統合進歩党）が内乱陰謀罪で捕まり、翌一四年十二月所属政党は登録抹消された。同年にはセウォル号沈没事故も発生して朴槿恵大統領の対応が大問題視され、併せて崔順実（チェスンシル）ゲート事件が起きた。一六年には北朝鮮の核とミサイル挑発に対応して開城工業団地撤退措置を断行した。

統合進歩党解党に危機感を持っていた左派たちは、セウォル号事件と崔順実ゲート事件を最大限利用して朴槿恵大統領辞任を迫るロウソクデモを各所で起こし、結果的に大統領が弾劾された。同じハンナラ党の国会議員の中から弾劾に賛成する者も出た。

絶対的権限を持っていると思われた大統領が弾劾されて、文在寅が大統領に当選した。

人々はこう言った。

「左派大統領の盧武鉉の時も体制は変わらなかった。文在寅になって多少は国家運営が変わっても体制を心配することはない。誰が大統領になっても、それはそれだ」

文在寅は当選後すぐにドイツを訪問して「朝鮮半島の平和ビジョン」を発表し、金日成が八十年六次党大会で提示した「私たち民族同士の高麗連邦制統一」を力説した。

北朝鮮で人民を苦しめた金氏王朝の姫（金与正）を平昌冬期オリンピックに呼び、親北、親中に歩みだした。国連演説でも北朝鮮寄りの姿勢を明らかにした。まるで北朝鮮のスポークスマンだった。

文在寅執権後、韓国で起こった多くの事柄が北朝鮮と似ている姿を見た。金正恩のソウル訪問を歓迎する「白頭稱頌（称賛）委員会」全国芸術公演が開かれ、金正恩を迎える「偉人歓迎団」のイ・スグン団長は「私は共産党が好きだ」と光化門近くで発言した。

政府は親北民間団体に年間五兆ウォンを支援し、ロウソク集会の前面に中高校生まで立たせた。

文在寅は金正恩を「非常に率直で意欲的で強い決断力があり、国際的感覚がある」また「彼は、子供たちまで核を頭に生活させないと真剣に言った」と持ち上げた。

文在寅は全世界に向かって黒を白、白を黒と嘘をついた。彼は北のスパイだという話がユーチューブやSNSで拡散した。私は、まさかと疑っていたが、スパイかもしれないと考えるようになった。左派の連中は北朝鮮の指令で、米国産牛肉を食べると「狂牛病」になると国民を煽ってデモに駆り出し、朴槿恵をロウソクデモで弾劾し、全国民主労働組合総連盟（略称民労総）のストライキ、在韓米軍サード配置反対などあらゆる種類の扇動で体制を転覆しようとした。

彼は大統領になって「人が先だ」というスローガンを掲げた。これは金日成主体思想の「人中心の我々式社会主義」を若干変えたスローガンだ。文在寅は韓国でなく北朝鮮に忠誠を誓っていたのだろう。

脱北者強制送還事件

韓国社会は左派と右派に分裂している。

韓国で人権弁護士と言われる人は、社会的弱者の利益を弁護する正義の人と認識されている。脱北者も弱者だ。

文在寅前大統領も人権弁護士だが「左派」だった。だから金正恩が裏切り者と呼ぶ脱北者に手を差し伸べることはしない金正恩のための弁護士だった。

二〇一九年十一月、北朝鮮を漁船に乗って脱出して韓国海軍に拿捕された二人の漁船員は、韓国亡命の意思を明らかにした。しかし、当局は通常二、三カ月かかる合同調査をわずか三日で済ませ、到着五日後にほぼ秘密裏に板門店から強制送還した。

この事実が三年後、尹錫悦大統領になって明らかにされた。

当時の文在寅左派政府は、「二人は海上で同僚十六人を殺して逃げた凶悪犯」という北の言い分を受け入れたわけだ。二人は目隠しをされ、体を縛られた状態で屈強な国家情報院職員に引きずられて人民軍兵士に渡された。送還五十日後に処刑された。

これが文政府の脱北者に対する態度であり、現実だった。送還時の映像は尹錫悦政権になって公開された。

文在寅には独裁と弾圧を受けて呻吟する北朝鮮の国民も、そこから命をかけて韓国に逃れて来た脱北者も眼中になかった。ただ金氏王朝と金正恩、主体思想、従北左派の利益を追求する大統領だった。

人権弁護士としての良心のかけらもないので、北に返せば処刑されると知りながら送還させたのだ。脱北者は凶悪犯なのか。三万三千余の脱北者は死を覚悟して国境を越えた。ある人は刃物を持って死ぬか生きるかに備え、力ない女性や老人は捕まった後の拷問を避けるために自殺用の毒薬を持って脱北する。だから脱北者は「殺人者になりえる明白な人々」というのか。

二十年六月には韓国延坪島近海で海洋水産部職員が何かの原因で海に転落し、北朝鮮軍に射殺されたうえ焼却された。文在寅政府は北朝鮮に抗議するどころか、借金に困って北に逃亡して失敗した人間だと自国民である被害者を貶めた。

仮面をかぶった人権弁護士が、耳にやさしい言葉で弱者の味方とうそぶいて大統領になったが、民主主義と進歩を叫びながら金正恩を助け、仕えて、徐々に国を丸ごと献上しようという姿に嗚咽するしかなかった。

私は日本から「北送」され、党の唯一思想という鎖に縛られ、金氏王朝の独裁下で四十六年暮らした時期が最も苦しかった。死の峠を越えて自由を求め、やっとの思いで韓国に来ることができたが、文在寅が自由民主主義体制を北朝鮮のような独裁体制に変えようとする姿に身が震えた。そして、日本かアメリカに移民できないか考えた。すでに日本とアメリカに住んでいる知人に移民の話もした。韓国が北朝鮮化されていく姿を見て、再び北朝鮮のような独裁下の生活に戻れないからだ。

先の大統領選挙では、尹錫悦候補の当選を切望して一面識しかない脱北者や人々に投票をお願いした。電話代だけでも数十万ウォンかかった。

結果は〇・七パーセントの僅差で尹錫悦候補が当選した。これは韓国社会が左派と右派に分断されていることを明確に示した結果だと思う。

根性ある尹錫悦大統領

韓国に住みながら左派と右派の見分け方が分かった。親北親中、反日反米、私たち民族同士、平和統一、高麗民主連邦共和国などを主張するのは左派だ。左派は具体的に北従勢力、主体思想派、スパイで構成されている。その逆が右派であり、それ以外は中道かノンポリだ。

簡単に言えば、北朝鮮に従うのが左派、大韓民国の国益と安全保障を優先するのが右派だ。左派は国民のためだと言いながら、不思議にも私たち民族同士、平和統一、反日、反米、親中で北朝鮮と脈を共にする。北朝鮮で首領を崇拝するのと朝鮮総聯に同胞が集まる姿、民主党の左派が党代表を守護する手段と方法を選ばない姿は酷似している感じがする。

彼らは反米を大声で言えず、反日行動を火が付いたように煽動してまわる。歴代大統領は「反日」が当たり前のように振る舞ってきた。大韓民国で「反日」は愛国であり、「親日」は李完用と同じ売国奴と見做される。

文在寅は「歴史を忘れた民族に未来はない」と、国民に脱線した高速機関車のように猛烈に「反日」を扇動した。

韓国は深刻な内部矛盾に苦しんでいる。左派大統領が当選すれば親北・主体思想・北朝鮮化となり、右派大統領が当選すれば自由民主主義・資本主義経済重視に変わる。まるで「風見鶏」のようにクルクルめまいがするように変わる。韓日問題の根も日本でなく韓国にあるので深刻だ。

私は「反日」について議論するたびに、「過去という植民地の泥沼から抜け出さなければ前進できない。韓米日同盟を確固としなければ韓国の安全が保障されず、平和も保たれない。日本を見なさい。世界で唯一原子爆弾の被害を受けた国だ。韓国民の目から見ると、日本国民は米国を限りなく呪っていると見えるかもしれない。しかし、未来のために米国と肩を組んで発展してきた姿を見なさい。いつまでも、日本の植民地だったという自虐史観に陥っていないで、日本と肩を組んで世界舞台に出てゆくべきだ」と話している。

一部の友達は、日本に旅行したことも住んだこともなく、ただ、本やテレビの受け売りで日本を語るのが精一杯で、深く考えずに「やはり、日本に住んだから親日派だな」と私を非難する。解放後約八十年が過ぎた今でも、植民地にされた恨みを持ち続けていることを考えさせられた。

ある大手世論調査会社は「大多数の韓国人は、理念が違えば友達にも、夫婦にもならず、食事も共にしない」というアンケート結果を公表した。同じ韓国民同士の間でのことである。

尹錫悦大統領は、支持率が下落し左派の強硬な反対を受けながらも、数十年間固まり続く「反日」の氷壁を解かそうと奮闘している。左派積弊の労働、教育、年金改革にも意欲を示している。いつかは誰かがしなければならない改革に挑む大統領だ。文在寅前大統領当時から潜在していた北朝鮮スパイ団も摘発した。

絶対多数野党勢力に牛耳られた難しい韓国政治状況の中でも、新たな韓日関係樹立に向けて先頭に立つ大統領尹大統領の手を、日本はより固く握ってほしいと願っている。

そして、「移民」しなくても大丈夫だと考えるようになった。

おわりに

私は一九五二年に日本で生まれ、自由の揺り籠で幼年時代を送った。「朝鮮総聯」と社会主義と資本主義の葛藤の大洪水に巻き込まれ、一九六〇年北朝鮮に「北送」された。

「地上の楽園」という北朝鮮は「地上の地獄」だと知った瞬間から、私は自由を渇望した。

一九八〇年初めから脱北の機会を窺っていた私は「苦難の行軍」で国家体制システムが崩壊した時期の二〇〇六年に脱北し、二〇〇九年韓国に入国した。

関釜連絡船で七時間半かかったという故郷に、六十四歳になってやっと訪問できた。本当に息詰まる放浪の人生史であり、私自身が即ち在日同胞「北送」の歴史である。

在日北送朝鮮人の脱北は、地獄から「自由世界」への脱出である。

北送は虚偽と欺瞞と詐欺で行われたものであり、在日北送朝鮮人は「誘拐抑留被害者」である。これは、本人が願えばいつでも北朝鮮を離れる権利があり、日本や韓国が当然受け入れるべき被害者であることを意味する。

新潟港から北朝鮮に渡った北送在日同胞の十五パーセントから二十パーセントが政治犯収容所に収監された事実は、既によく知られている。これは、北送在日同胞百人中の十五から二十人が政治犯収容所に送られ、人権を無視されて生死さえ分からないことを意味する。そこで死亡しても通知はなく、親兄弟は肉親の魂さえ供養できない。家族は連座制で敵対階層にされ、監視と弾圧の下で暮らすことになる。

単に政府を非難する言辞を弄したという理由で、自由を渇望したという理由で煮えたぎる油の釜のような政治犯収容所に収容された。

私は脱北に成功した。しかし、その裏には数多くの脱北者の経験と教訓はもちろん、死の代価があることをよく知っている。脱北は命を懸けずには簡単に決心を下せない人生の一大事だからだ。脱北を決意した瞬間から「殺鼠剤」を宝のように持ち歩き、人を殺すか自殺するナイフを手元に置いて行動するのが脱北者に共通した決断だ。後頭部を狙う国境警備隊の銃口を避けて国境の川を渡り、北斗七星を羅針盤にして山中をさまよわねばならなかった。私は、鴨緑江さえ越えれば自由を得られると思っていた。

崖から滑り落ちて鎖骨が折れても、痩せてしまっても、ただ自由と人権を求めた。中国ではあちこちの教会に救いを求めたが拒否され、「公安に告発する」とまで脅かされた。

私は「社会教育放送」が嘘をついたと悪口を言い、牧師を呪い、神を恨んだ。それだけでなかった。噂を頼って最後にブローカーに会ったが、北朝鮮から来たというだけで乞食扱いする「朝鮮族」ブローカーの蔑視に恐怖と驚きしかなかった。

北朝鮮で病院長を務めてきた私は、中国では文盲者であり犯罪者である「朝鮮族」ブローカーから人間以下の蔑みを受けていると感じたとき、数十年持ち続けた自分のプライドを捨てなければ脱北に成功しないと悟った。偉大な朝鮮民族と言っても、中国でこのように情けなく扱われるとは夢にも思わなかった。

ミャンマーでの刑務所生活は私を虫けらにした。肌を焦がす熱帯気候とゴキブリや南京虫がうようよする中で二年四カ月も送らなければならなかった。言葉を知らずに殴られ、笑い物にされるなど、意思疎通の重要性も痛感した。自殺も考えた。しかし、四十六年間の北朝鮮生活に比べて苦痛の時間が短かったことだけは幸いだった。こうした痛みも、これからの自由のためだと虫けらのように生きて、ライオンのように体を鍛えた。

閉鎖された北朝鮮を脱出して韓国に来なければ、脱北者が曲折多い事情を抱えて数多くの峠を越えて生死の境を行ったり来たりした息詰まる事情を知り得なかったろう。

韓国に来るまでは脱北の難しさと苦痛は私一人だけのものだと思っていた。しかし、韓国に来て、他の脱北者に会うと、飢えて中国に渡って何度も人身売買されて十年後にやっと韓国に定着できた人もいた。中国から八回も北朝鮮に送還され、九回目の脱北の末に韓国にたどり着いた人もいた。銃口を背後にして川を越えた人もいた。北朝鮮に送還されて後が知れない人たちの話も数多く聞いた。共に脱北し、途中で別れて生死不明の人は数え切れない。亡くなった子供の墓も作ってやれずに一人で韓国に来た人もいる。

脱北に成功して韓国に定着した脱北者が約三万人なら、涙を流し、怒りに震えながら聞くしかできない脱北ストーリーも同数ある。脱北者は、人権の基本である生存権のために親兄弟を捨てざるを得なかった。しかし、より悲痛な事は、中国の山間僻地には人間扱いされず奴隷のような暮らしをしながら、北朝鮮送還の恐れに震えている同胞が未だに多いことである。

何の縁故もない北朝鮮に「帰国」して一時的に客地生活をしたと思うには、あまりにも悲惨で夢にも身震いする恐ろしい監獄だった。

私の苦痛は、真の「地上の楽園」にたどり着いて自由を見つけることで終わった。しかし、両親は独裁の地、北朝鮮という客地で亡くなられた。まだそこで暮らしている「北送在日同胞」は地獄でさまよっている。私は自由と人権を見つける過程で捨てなければならなかった自尊心と人間の権利と尊厳、そして被った苦痛と虐待、非人間的な処遇と精神的迫害を思い出すと今でも悪夢を見る。その代価として、こうして暮らせるようになった今の私は、自由がいかに大切か改めて実感している。

定着初期、驚くほど発展した韓国経済と私たちを物心両面で支援してくれた大韓民国政府に感謝の涙を流した。独裁と弾圧、奴隷のような北朝鮮生活四十六年が「不幸への適応」だったなら、韓国生活十四年は「喜びへの適応」だった。

この世の全てを手に入れたような幸福感が、いつしか不満足に変わりはじめた。

大統領が変わるたびに、猫の目のように変わる韓国の政治は私にとって混乱の連続であった。私は李明博大統領の時期に入国し、朴槿恵大統領の弾劾と文在寅のキャンドル大統領時期を体験した。

これまで政治に無知だった私も自分の見方が定着した。左派が政権を握れば社会主義、右派が政権を握れば自由民主主義、と熱風呂と水風呂を行き来する感じだ。

一国の大統領なら自国の経済を発展させ、国民が幸せに暮らせる国にしようとするのは当然のことである。歴史の中で、社会主義と独裁、全体主義は、国家と経済を後退させることが証明されている。

私は文在寅前大統領の時期、四十六年間受けてきた独裁と弾圧、首領第一主義を再び経験するのではないかと戦慄を覚えた。金日成を「太陽」と称賛する北朝鮮と文在寅を「月」と称賛する姿が似ていたからである。

北従派の人々は「白頭称頌（称賛）委員会」「偉人歓迎団」を結成し、世宗大王像の前で、「金正恩は配慮深く決断力があり、太っ腹で実力ある指導者」と称賛した。そして金日成回顧録『世紀と共に』がインターネットや書店で白昼堂々と売られている。

アマゾンの密林のような社会に住む北朝鮮の人々に、真実を知らせようとする人権活動に対し、文在寅政府は「対北朝鮮ビラ禁止法」を作って弾圧を加えた。常識で理解できないことを敢行したのである。

私は、金氏王朝下で四十六年間、独裁と弾圧を受け、基本的な生存権さえ脅かされた事だけで充分だ。再び金氏王朝の奴隷に戻るのは死んでも拒絶する。そして「北送在日僑胞協会」を組織し、鉄格子のない刑務所で奴隷として生きた体験をもれなく世界中に公開しようと努力している。

北朝鮮に渡った「北送在日同胞」と「北送日本人」たちは、口に出せば政治犯になるので言えなかったが、自由意思に基づく故郷往来と「帰国」できる日を待ち続けていた。しかし現在、北朝鮮に生存している「北送者」の中に日本人妻が含まれる可能性は低い。日本、韓国、国連の人口統計資料を基に私が試算した結果、「北送」当時日本国籍を持っていた人（日本人子女）が約五百四十人、「北送在日同胞」約六千七百六十人が「北送一世」として生存していると推定する。

『朝鮮総聯六十年の活動日誌』は、これまでの活動の中で帰国事業を最大の成果だと誇っている。歴史は過去と現在の会話であり、将来を設計する基礎になる。再び「北送」のような被害と歴史を繰り返してはならない。

私は、この歴史的事件の被害者として事実だけを記述しただけであり、ご理解は読者の皆様にお任せしたい。

ある人が、三カ国を漂った「浮き草」のようなジプシー人生で何を学んだのかと尋ねてきた。私は迷わず答えた。

日本では、人が守るべき基本的な「正しく生きる」人間性を学び、北朝鮮では適者生存、「虚偽の忠誠心」という衣服を着続ける「強い忍耐性」を学び、韓国では「政治家と商売人に騙されるな」と学んだ。

人生は、何度屈しても奮い立つ「七転八起」の達磨さんと即答した。

解説

荒木　和博（特定失踪者問題調査会代表・拓殖大学海外事情研究所教授）

本書の著者・李泰炅氏は在日出身の脱北者であり、ここに書かれているのはその半生です。私が本書を読んでまず感じたのは「日本」でした。朝鮮半島への玄関口下関で生まれ育ち、親とともに北朝鮮に渡ってからも著者やその家族の心には常に日本がありました。

一章と二章では日本時代の、ある意味牧歌的な時代が描かれています。そして帰還事業で北朝鮮に渡ってから五十六年後に著者は再び日本を訪れるのですが、その場面は本書の終わりに近い十二章に描かれています。どちらからも筆者の日本への思いがひしひしと伝わってきます。お父さんが北朝鮮への帰還に断固として反対していれば著者の人生も大きく変わっていたでしょう。そのまま日本に残っていれば逆に「日本」を意識することはあまりなかったかも知れません。それは著者に限らず帰還事業で北朝鮮に渡った在日の多くも同様だったのではないでしょうか。

あらためて思うのですが、帰還事業が始まった当時、民団を中心として一部にそれを阻止しようとする動きがありました。当時は自民党から共産党まで、マスコミもこぞって帰還事業に賛成する中で、反対運動はおそらく「極右」とか「李承晩の手先」とか言われたのではないでしょうか。そして実際ほとんど成功しなかった訳ですが、もしこの運動で帰還事業が中止されていれば、今考えるとそれは大変な「人道的措置」であったと思います。もちろん死んだ子の年を数えるようなものなのですが。

第三章からはいよいよ北朝鮮に渡ってからの話になります。日本と北朝鮮の差は「新潟港がカラー写真ならば清津港は白黒写真だ」という言葉に全ては集約されていると言えるのではないでしょうか。

その後の帰国者の体験についてはこれまでも様々な脱北帰国者の証言がありますが、あらためて考えてみてください。著者と家族が北朝鮮に渡ったのは一九六〇年です。日本はやっと高度経済成長が始まったところでした。一方、日本時代に鉱工業インフラが開発された北朝鮮の一九六〇年代は、政府樹立から今日までの間で、北朝鮮としては最も豊かで自由な時代だったはずです。ちなみに韓国は朴正煕将軍らによるクーデターが起きた直後で、北朝鮮より貧しい国でした。

それでも日本から渡った在日朝鮮人には本書に描かれているような社会に感じられたということを、私たちはあらためて考え直す必要があるでしょう。

第五章、著者は軍隊に入隊します。在日出身で軍人になったケースはあまり聞きません。ですからこの記述は記録としても貴重です。当然本人が評価されたわけですが、一方でそれでも監視は行われていました。そして、その監視が逆に著者を労働党員にする材料となったのは皮肉です。

除隊後、著者は医大に進学し、医師の道を歩みます。これまた在日出身者としてはかなりのエリートコースだと言えます。そんな中で第六章に書かれているこの言葉もまた北朝鮮の社会（あるいは全体主義社会）を端的に表したものだと言えるでしょう。「北朝鮮での生活はとても単純だ。毎日決まった時間に起きて、各自に任せられた仕事をして夜家に戻る。統制と監視がない空間で緊張を解き、家族と食事をして話を交わし、十時に寝床につく。自分の頭で考える必要がない。全てのことは党が決定し、それに従えばいい。従わなければダメだ。先んじても遅れてもならない。自分の頭で考え、少しでも創意性を持って動けば批判を受ける」

韓国のある友人が「北朝鮮の人々の最も不幸なことは、自分たちが不幸だということを知らないこと」と言っていました。まさに思考停止することの「快感」（?）のようなものが長年北朝鮮を支配してきたことは、あの独裁体制が今日まで続いている大きな要因の一つなのではないでしょうか。

第七章では、その独裁体制の創始者である金日成の死亡したときの様子が描かれています。当時、泣き叫ぶ北朝鮮の人々の様子を覚えている人も多いでしょう。四十代前の方は知らないと思いますが、最近なら二〇一一年十二月の金正日死亡のときを思い出せば想像はできるはずです。

金日成死亡のとき、多くの人が「北朝鮮の人々は本当に金日成主席を慕っていたのだ」と思ったはずです。しかし、当時医学研究所にいた著者はここで「この『忠誠の追慕所設置』という演劇で、皆は最優秀演劇俳優を凌駕するほどに配役を演じた。」「大声で泣くほど忠誠心も大きいと認められる。いつの間にか泣き声の弱い組が異常に見えるようになる。一人が大声で泣き始めれば、その横ではもっと大声で泣かねばならない。一人が泣けば皆が泣くという集団催眠だ。泣かなければ異常者扱いされる」と書いています。

「集団催眠」、まさに北朝鮮は建国以来七十年余、これを続けているのではないでしょうか。そして北朝鮮で生まれ育った人々はともかく、日本の空気を吸ってきた在日の多くにとって、その真似をしなければならないのは耐えがたい苦痛だったでしょう。

北朝鮮は医療が無償であると自慢してきました。私は二〇〇八年韓国ソウルから北朝鮮開城への日帰りツアーに参加したことがありますが、北朝鮮に入ってから乗り込んできたガイド（おそらくは保衛部の監視人）は大声でそれを話していました。しかし無償医療ということは、配給が途絶したら無報酬診療、要はタダ働きです。著者はこう書いています。「確かに『無償治療』だが薬がなかった。薬がない『無償治療』をなんと言うべきか」おそらく開城ツアーのときのガイドもそれを知った上で言っていたのだろうなと、あらためて思うのです。

著者はその後ある市の病院の院長になります。これも在日出身としては異例のことです。しかしそこでの苦労は日本や韓国の病院では想像できないことばかり。当時はいわゆる「苦難の行軍」時代が終わったころですが、著者の勤務した病院での一年間の子供の死者二百四十名という数は公式統計が全く当てにならない北朝鮮では極めて重要な数字です。

「変質した食物や離乳食を摂取した場合の単純性下痢、単純性消化不良には消化剤服用とリンゲル点滴が基本治療になっているが、その効果なく二、三日経過するだけで中毒性消化不良症になる。この状態が三日も続けば、ほとんど全ての患者は敗血症と化膿性脳炎を合併して死亡する。このようにして死亡した数が一年に二百四十人なのだ」と著者は書いています。この二百四十人の子どもたちの大部分は日本や韓国だったら助かったのでしょう。ちなみに拉致被害者曽我ひとみさんも二〇〇二年に帰国して間もなくガンが見つかりました。もしものあのまま北朝鮮にいたら亡くなっていたかもしれません。

病院では支援物資の横流しをごまかすためにユニセフの職員に対してヤラセを行うシーンも出てきます。市の糧政課長の「国連や各所から支援を受けた全ての物資は、九十パーセントを軍に納めなければならないのが党の方針です」という言葉はまさに北朝鮮に対する援助がどこに行っているかを端的に表しています。

> 検閲員は病室で偽装患者の写真を撮り、調理場で栄養粉を使った食事の準備をしている写真を撮る。次に倉庫で、昨日運んできたエンドウ豆と栄養粉の入った袋を写真に撮る。これで満足した笑みを浮かべ「グッバイ」と手を振って平壌に戻っていった。

援助をすればその一部でも苦しんでいる人に届くだろうというのは幻想、というより偽善です。結果的に援助はあの体制を延命させ、さらに人民に苦しみを強いることになる、本書に描かれた光景はそれを訴えています。

著者はＫＢＳ（韓国放送公社・日本のＮＨＫに該当）の対北放送を聞き、様々な情報を得ました。そしてそれが一つの動機になって北朝鮮を脱出します。中国を縦断し、途中一緒に脱北した息子さんと別れてミャンマーに入り、そこで逮捕されて留置所、さらに刑務所に送られます。釈放され韓国に入国したのは二〇〇九年三月のことでした。

その後の記述では韓国の印象、そして韓国から「母国」日本に行った話が綴られますが、この内容もまた非常に興味深いものがあります。韓国の親北勢力が騒ぐ反日と、著者が日本を訪れたときの印象の違いは今の韓国における反日を考える上でも意味のあるものではないでしょうか。

本書は著者・李泰炅氏個人の半生の記録としても大変価値あるものだと思います。しかし、私たちはこれを「大変だったなあ」「北朝鮮の人たちは可哀想だなあ」というセンチメンタルな思いで終わらせてはならないのではないでしょうか。

書いたように在日の帰国者で軍に入隊し、医大に進学し、病院長まで務めたのはかなり成功した方だと言えるでしょう。その人の視点で見てきた北朝鮮は、私たちが北朝鮮に対するとき、重要な参考書となると思います。

結局あの体制が変わらない限り著者が見てきた北朝鮮が引き継がれ、第二、第三の李泰炅が苦難の人生を歩むことになるのではないでしょうか。そうしないために、読者の皆さんが本書から北朝鮮という国家の本質を知っていただくことを期待するものです。

◆著者◆

李 泰炅（イ・テギョン）

1952年、山口県下関市で生まれる。1959年、下関朝鮮初中級学校に入学。1960 年、在日朝鮮人の帰還（北送）事業により家族で北朝鮮へ渡る。1972年、朝鮮人民軍に入隊。1986年にＰ医学大学を卒業、医学研究所の研究院を経て、2001年に病院長となる。2006年に脱北するが、ミャンマーで「不法入国」の罪に問われ2年4カ月服役する。2009年に韓国入国。現在「北送在日同胞協会」会長として北朝鮮の自由民主化のために在日脱北者たちと活動している。

◆訳者◆

川﨑 孝雄（かわさき　たかお）

1950年茨城県水戸市で生まれる。県立水戸第一高等学校、専修大学法学部を経て医療機器メーカーに就職し、輸出先でもある韓国に興味を持ち、独学で韓国語を学ぶ。1995年、北朝鮮平壌、開城、板門店を訪問。北朝鮮人権問題に関するNPO活動を続け、脱北者安明哲氏や李順玉氏などの手記翻訳に関わる。現在、（特非）北朝鮮難民救援基金で事務局を担当。

囚われの楽園――脱北医師が見たありのままの北朝鮮

令和 5 年 7 月 20 日　第１刷発行

著　者　李泰炅
発行者　日高 裕明
発　行　株式会社ハート出版

〒171-0014 東京都豊島区池袋 3-9-23
TEL.03(3590)6077　FAX.03(3590)6078
ハート出版ホームページ　https://www.810.co.jp

定価はカバーに表示してあります。

ISBN978-4-8024-0158-6　C0030

印刷・製本／中央精版印刷株式会社

反日国家の野望・光州事件

池 萬元　著　松木 國俊　監訳

ISBN978-4-8024-0145-6　本体 2000 円

北朝鮮よ、兄を返せ

“特定失踪者”実弟による手記

藤田 隆司 著

ISBN978-4-8024-0131-9　本体 1400 円

元韓国空軍大佐が語る

日本は奇跡の国 反日は恥

崔 三然　著

ISBN978-4-8024-0077-0　本体 1400 円

冷たい豆満江を渡って

「帰国者」による「脱北」体験記

梁 葉津子　著

ISBN 978-4-8024-0117-3　本体 1500 円

元韓国陸軍大佐の

反日への最後通告

池 萬元　著　崔 鶴山・山田智子・B．J　訳

ISBN978-4-8024-0092-3　本体 1800 円

軍艦島

韓国に傷つけられた世界遺産

松木 國俊 著

ISBN978-4-8024-0065-7　本体 1500 円